Kontakte

A combined BBC Television and Radio course
for beginners in German

BOOK TWO   PROGRAMMES 11–20

*German language adviser, television reading
texts and background information:*
CORINNA SCHNABEL

Language teaching adviser:
ANTONY PECK Language Materials
Development Unit, University of York.

Producers:
Television MADDALENA FAGANDINI
Radio IRIS SPRANKLING

British Broadcasting Corporation

25 pairs of programmes on BBC Television and Radio; first broadcast from October 1974.

An LP record, or tape cassette, accompanies each book of this series, and can be obtained through booksellers or direct from BBC Publications, PO Box 234, London SE1 3TH.

Teachers' notes and colour filmstrips are also available from the above address.

Published to accompany a series of programmes
prepared in consultation with the BBC Continuing Education
Advisory Council.

© The Authors and the British Broadcasting Corporation 1974
First published 1974
Reprinted 1977, 1978 (twice), 1979, 1980, 1981, 1982
Published by the British Broadcasting Corporation
35 Marylebone High Street, London W1M 4AA

Printed in England by
Chorley & Pickersgill, Leeds, Yorks.
ISBN: 0 563 10864 9

Contents

The photographs were specially taken for *Kontakte* by Carol Wiseman, except that on page 22 which is reproduced by permission of the German Embassy.

The drawings are by David Brown.

Introduction

Kontakte is for adult beginners in German, designed to teach the language of daily life and direct personal relations. The course consists of 25 programmes on radio, 25 programmes on television, 3 books and 3 LP records (or tape cassettes). The programmes on radio and television, which are broadcast in parallel each week, have been designed to reinforce and complement each other and the teaching material offered in any one week's broadcasts is combined into a single book chapter. Book 2 and Record or Cassette 2 cover programmes 11–20. For class use there are also Notes for Teachers and colour filmstrips. Book 2 of these Notes and filmstrips 2 and 3 cover programmes 11–25.

The language to be learnt and actively spoken by students has been kept to a minimum. In programmes 11–20 we deal with specific situations such as making an advance booking, arranging a meeting or an appointment, and what to say when you've lost something—which is bound to happen sooner or later! We also teach you how to express a wish, request a service and say what you like or don't like.

But what is always most important in these situations is that you should be able to understand what people may say to *you*. The better you are able to use the language you've learnt, the more other people will feel able to express themselves freely and ask you further questions. Any such conversation will soon come to a grinding halt if you are unable to understand a single word! To help you, we have taken cameras and tape recorders to Germany. We have filmed and recorded ordinary people in a variety of situations, from shops to theatre box offices, hotels to dry cleaners, hairdressers to lost property offices and doctors' surgeries. We have also talked to people in cafés, bars and in their own homes. This has, of course, resulted in a fair variety of language which you yourself should not try to learn in any detail. What to look for are the key pieces of information which will help you to understand what might be said to you should you find yourself in situations at all similar.

Through documentary film and recorded interviews we have also tried to give you a broader picture of life in West Germany today. These elements of the course are entirely for comprehension, not to be translated word for word, let alone learnt off by heart! They are simply to be understood in their general, overall meaning. Sit back and listen to these sections of the programmes, and read the respective printed versions in the book. You will find that you will be able to understand far more than you could possibly learn to speak in a limited amount of time.

The programmes

On both radio and television you will hear the language we want you to learn and understand as we recorded it in Germany. This language will be exploited in the studio and where necessary explained, and there will be plenty of opportunity for practice. You will not necessarily hear on radio what may have been presented on television, or vice-versa, but the area of language will be the same, the television programmes giving you the visual background while radio will concentrate on the sound and expression. Each programme will include a passage for comprehension only—for your enjoyment and general understanding.

The book

At the beginning of each chapter you will find a selection of the recorded dialogues used in the broadcasts. They are numbered for easy reference should you wish to follow them with the radio broadcasts. When you come to working with the book, read these dialogues carefully, paying particular attention to the part you will need to speak yourself. Always read this part several times aloud until you feel you could speak it without looking at the book. The rest of the conversation you should try to understand. In due course, and with more experience of the language, you will find that this will actively broaden your own knowledge of vocabulary and expression, but what you should not try to do is to learn everything at once!

The dialogues are followed by a variety of exercises and a brief summary of what has been taught. All the exercises can be practised by one person alone, but if you know someone who is also following the course, take turns at playing the different parts, one of you practising the role of the student while the other reads the second part from the book.

The printed reading texts *Lesen und Verstehen* are based on the comprehension sections in the television programmes but have been specially written for reading comprehension. The printed radio interviews *Hören und Verstehen* do not consist of carefully composed language. They are examples of spontaneous speech as used by individual people. These interviews are for listening comprehension and you will be able to follow the texts as they are broadcast. Questions in English at the beginning of all the comprehension passages are not an exercise; they have been designed to help you to understand.

All the vocabulary in the teaching sections and exercises has been included in the glossary at the back of the book. We have not, however, included any vocabulary from the comprehension sections since these are not meant to be translated. For these we have only provided a brief key to help you with the more difficult passages.

The final section of each chapter, *It's Worth Knowing*, gives you further information about life in West Germany. These sections have been designed to make you feel more familiar with the country and should be particularly helpful should you go there. The facts, figures and prices quoted in this book relate to conditions in Germany at the time of first printing in 1974.

The record

The record (or tape cassette) is to help you with pronunciation and with the rhythm of the language. Record 2 contains some short scenes specially written to include the main teaching points in the programmes, together with specially made recordings of the *Lesen und Verstehen* texts.

How to use the course

There is no one way of learning a language. The various elements of the course allow for entirely flexible methods of preparation and practice depending on what you feel are your own requirements. You may prefer to prepare for each programme beforehand with the book. Or, to help you gain a good pronunciation and understanding, you might start with the broadcasts and then use the book and the record for further practice. Whenever possible, always complete your week's work with the repeat of the programmes. And at the cost of repeating *ourselves* please do not expect to remember everything or to be able to hold extended conversations, even by the end of Lesson 20! Learning a foreign language is a cumulative business. One or two structures and a little vocabulary each week are quite enough. As the course progresses you will find how certain basic language patterns apply to many different situations. Also, as you begin to acquire some vocabulary, you will find it progressively easier to remember more. Don't try to remember everything all at once and, whenever possible, practise aloud what you do learn with another person.

ELF

Haben Sie ein Zimmer frei?

**How to ask
if something
is available**

	ein Zimmer frei?
haben Sie	eine Zeitung?
	Postkarten?

An der Hotel Rezeption

1 | Herr Hirsch | Guten Tag!
| Empfangsdame | Guten Tag!
| Herr Hirsch | Haben Sie ein Zimmer frei?
| Empfangsdame | Für wie lange?
| Herr Hirsch | Für heute, für eine Nacht.
| Empfangsdame | Ein Einzelzimmer oder ein Doppelzimmer?
| Herr Hirsch | Ein Einzelzimmer, bitte.
| Empfangsdame | Mit Bad oder mit Dusche?
| Herr Hirsch | Mit Dusche.
| Empfangsdame | Ja, das ist möglich.
| Herr Hirsch | Und was kostet das Zimmer?
| Empfangsdame | Das Zimmer kostet 48 DM mit Frühstück und Mehrwertsteuer.
| Herr Hirsch | Ja, gut.
| Empfangsdame | Tragen Sie sich bitte ein.
| Herr Hirsch | Ja. (he fills in the register)
| Empfangsdame | Wie ist Ihr Name?
| Herr Hirsch | Mein Name ist Hirsch. Vorname Eike Christian.
| Empfangsdame | (giving him registration card) Ihr Zimmerausweis. Wo ist Ihr Gepäck?
| Herr Hirsch | Mein Gepäck ist hier.
| Empfangsdame | (giving key to bell-boy) Zimmer Nummer 122.

HOTEL KÖRNER

tragen Sie sich bitte ein   would you sign the register please?

2	*Karola*	Guten Tag!
	Frau Lyon	Guten Tag!
	Karola	Haben Sie bitte ein Zimmer für heute abend?*
	Frau Lyon	Was für ein Zimmer soll das sein, ein Doppel- oder ein Einzelzimmer?
	Karola	Ein Doppelzimmer, bitte.
	Frau Lyon	Ja, ein Doppelzimmer habe ich noch.
	Karola	Ist das mit Bad?
	Frau Lyon	Mit Bad und WC.
	Karola	Was kostet das Zimmer?
	Frau Lyon	Das Zimmer kostet 78 DM, inklusive Frühstück, Mehrwertsteuer und Bedienung.
	Karola	Ja, das nehme ich.
	Frau Lyon	Darf ich dann einmal Ihren Namen wissen?
	Karola	Wemhoff.
	Frau Lyon	Und aus welcher Stadt kommen Sie?
	Karola	Aus Köln.
	Frau Lyon	Und die Strasse, bitte?
	Karola	Hindenburgstrasse 15.
	Frau Lyon	Ja, danke schön.
	Karola	Wir haben unser Gepäck im Wagen. Wo können wir parken?
	Frau Lyon	Wir haben unseren Parkplatz hinter dem Hause. Der Page kommt heraus und zeigt Ihnen auch, wo der Parkplatz ist.
	Karola	Danke schön. Sehr freundlich von Ihnen!
	Frau Lyon	Bitte sehr.

* Karola asked for a room for this evening (**für heute abend**), meaning for tonight (**für heute nacht**).

was für ein Zimmer soll das sein?	what sort of room were you thinking of?
darf ich dann einmal Ihren Namen wissen?	may I have your name then please?
sehr freundlich von Ihnen!	that's very kind of you!

3	*Herr Denker*	Haben Sie eine Zeitung?
	Empfangsdame	Ja. Moment, bitte. (brings him a pile of newspapers)
	Herr Denker	(picks one) Was kostet die?
	Empfangsdame	Für Gäste ist die Zeitung gratis.
	Herr Denker	Danke schön.
	Empfangsdame	Bitte.

4	*Kind*	Haben Sie Postkarten?
	Empfangsdame	Ja, bitte schön.
	Kind	(chooses one) Wieviel kostet die?
	Empfangsdame	50 Pfennig.
	Kind	Dann nehme ich die. Danke schön.

5

	Im Verkehrsverein, Münster
Jutta	Guten Tag!
Angestellte	Guten Tag!
Jutta	Haben Sie einen Stadtplan von Münster?
Angestellte	Ja, wir haben einen einfachen Plan da, der ist kostenlos, und einen grossen Stadtplan, der kostet 2,50 DM.
Jutta	Ich nehme den grossen.
Angestellte	Ja, bitte schön.
Jutta	Danke. Haben Sie auch einen Prospekt von Münster?
Angestellte	Ja, wir haben einen Prospekt, aber wir haben auch ein Buch von Münster. Das ist etwas teurer, es kostet 8,50 DM.
Jutta	Darf ich das mal sehen?
Angestellte	Ja, bitte.
Jutta	(looks through the book) Ich nehme das Buch.
Angestellte	Gut, ich packe es Ihnen zusammen.

etwas teurer	a bit more expensive
darf ich das mal sehen?	may I see it?
ich packe es Ihnen zusammen	I'll pack it up for you

Übungen

1 An der Hotel Rezeption

Empfangsdame:

Haben Sie ein Einzelzimmer frei?	Ja. Für wie lange?
Für drei Nächte.	Mit Bad oder mit Dusche?
Mit Bad, bitte.	Ja, ich habe ein Einzelzimmer mit Bad.
Was kostet das Zimmer?	Das Zimmer kostet 40 DM pro Nacht.
Ist das mit Frühstück?	Ja, mit Frühstück und Mehrwertsteuer.
Ja, das nehme ich.	Tragen Sie sich bitte ein.

Now make other bookings according to your different requirements.

a
b
c
d

If you have a partner, practise the conversations aloud taking turns at playing the part of the receptionist.
All single rooms cost 40 DM, all double rooms cost 65 DM.

2 Heute ist Montag

	Empfangsdame:
Haben Sie ein Zimmer frei?	Ja. Für wie lange?
Von heute bis Donnerstag.	Ja, für drei Nächte.
Von	Ja, für zwei Nächte.
Von	Ja, für fünf Nächte.
Von	Ja, für vier Nächte.
Von	Ja, für eine Nacht.

3 Heute ist Sonntag A group of friends are all going to the same hotel, but each in his/her own style. How would they book?

Empfangsdame:

Ich möchte | Wir möchten | bitte .... — Mit Dusche oder Bad?

Mit ...., bitte.
Ohne, bitte. — Ja. Für wie lange?

Für .... — Ja, das ist möglich.

a Rolf has a fortnight's holiday. He's a keep-fit fiend and takes cold showers.

b Vicki and Dieter are also staying a fortnight. They've only been married two months and must have the best of everything.

c Maria and Inge can only stay till Friday. They'll share a room and will just have to wash in the sea!

d Margot and Jörg are staying till Saturday. They can afford to be comfortable, but watch it, they're just good friends . . . !

e Paul can just afford to stay for a week if he does without the trimmings.

4 You've just arrived at your hotel and the receptionist looks helpful:

	Empfangsdame:
Haben Sie einen Stadtplan?	Ja, der Stadtplan kostet 2,50 DM.
Und haben Sie ....?	Ja, der Prospekt von Münster ist kostenlos.
Haben Sie ....?	Ja, die Postkarten kosten 50 Pf das Stück.
Haben Sie ....?	Ja, der Flugplan der Lufthansa ist kostenlos.
Haben Sie ....?	Nein, Briefmarken haben wir leider nicht.
Haben Sie ....?	Ja, das Telefonbuch ist in der Telefonzelle dort drüben.
Und haben Sie ....?	Ja, für Gäste sind die Zeitungen gratis.
Danke schön!	

For notes on how prices are spoken see page 90.

Überblick

How to ask if something is available:

| Haben Sie | eine Zeitung?
ein Buch
einen Stadtplan
Postkarten | von Münster? |

How to ask if an hotel room is available:

| Haben Sie | ein Zimmer
ein Doppelzimmer | frei? |

—and describe the room you want:

| Ein Einzelzimmer oder ein Doppelzimmer? | Ein | Einzelzimmer
Doppelzimmer | bitte |

| Mit Bad oder mit Dusche? | Mit
Ohne | Bad
Dusche
WC |

How to say how long you want the room for:

| Für wie lange? | Für | heute
eine Nacht
zwei Nächte
eine Woche |

Von heute bis Montag

You may be asked to sign the register:

Tragen Sie sich bitte ein!

—and you will need to understand what is included in the price:

Das Zimmer kostet 78 DM, inklusive Frühstück, Mehrwertsteuer und Bedienung.

An der See

What's the uniform for men at the
seaside?
Who build the holiday 'nests' on the
beach?
What do people build around their
hired wicker basket-seats?
What will burn all night after a sunny
day?

In den Zügen zur Ostsee sitzen Menschen mit Wasserbällen, Gummibooten und Angeln.
Wenn das Meer in Sicht kommt, springen sie auf und rufen: 'Das Meer! O das Meer!' Es
ist ein Wiedersehen nach einem langen Winter, und die Männer machen ihre
Hemdkragen auf. Sie möchten gleich baden und angeln.

Sie haben Zimmer bestellt in den Pensionen Seewind, Seeigel, Seemuschel, Seepferdchen
und Seeblick: Zimmer mit Vollpension und Blick aufs Meer. Und nun beginnen die
schönen kalten Tage an der Ostsee, Tage für Wollpullover und Mützen. Die Männer
tragen Seemannsmützen in Blau oder Weiss. Das ist die Uniform von Travemünde.
Sie haben die Mützen nicht ganz gerade auf dem Kopf und sagen: 'Ahoi!'

Am Strand mieten sie einen Strandkorb. Dann bauen sie einen Wall aus Sand um den
Strandkorb: ein Nest für den Urlaub. Die Männer bauen die Nester. Die Frauen packen
die Badetaschen aus: Handtuch, Sonnenöl, Kriminalroman . . . Das Radio spielt Musik. Die
Kinder essen Sand. Und es ist so gemütlich wie zu Hause. An der Promenade weht kein
Wind. Da steht der Würstchenmann und brutzelt. Da fallen oft heisse Würstchen in den
Sand und Mütter schreien: 'Ach pass doch auf, du, du!'

Vorsichtig gehen die Menschen ins Wasser: erst die Finger, dann die Füsse, dann die
Beine, dann der Bauch . . . Körper aus Hamburg neben Körpern aus Lübeck und Berlin . . .
Dicke Körper. Dünne Körper. Schöne Körper. Hässliche Körper. Nach dem Baden sind sie
blau und bibbern. Aber nach einem Sonnentag brennt die Sonne auch in der Nacht noch:
auf roten Rücken. Das ist Sonnenbrand. Und wie!

Am Strand haben die Menschen keine Namen. Sie haben Nummern, die Nummern ihrer
Strandkörbe. Nummern grüssen Nummern: Guten Tag! Nummern spielen mit Nummern
Schach und Ringtennis. Nummern flirten mit Nummern, und eines Tages sieht man sie
Hand in Hand beim Kurkonzert . . .

Jeden Nachmittag kommt Fritz Latteit, der Rivale des Würstchenmanns, mit seinem
schwimmenden Laden. Er hat nicht nur Würstchen. Er hat auch Kartoffelsalat und
Limonade und Eis und Lakritze. Frauen in Bikinis balancieren Pappteller über den Sand.
Schnell, schnell, solange die heissen Würstchen heiss sind! Currysauce ist gratis.
Schokoladeneis tropft in den Sand. Und erst die nächste Flut wäscht alles, alles
wieder sauber.

* For key to *Lesen und Verstehen* passages, see page 97.

Frau Lyon, the proprietress, talks about the Hotel Rheinischer Hof.

How many rooms have a private bath?
What is included in the price Frau Lyon quotes for a double room?
What can guests have to drink with their breakfast?
Are there any particularly busy periods in the year?
What percentage of the guests come from abroad?
Why does Frau Lyon like her work?

Dieter	Ich bin im Hotel Rheinischer Hof in Münster und spreche mit der Besitzerin, Frau Lyon. Frau Lyon, was für ein Hotel haben Sie?
Frau Lyon	Wir haben ein Hotel garni.
Dieter	Und wieviele Zimmer haben Sie?
Frau Lyon	Wir haben siebenundzwanzig Zimmer. Sechs davon sind Doppel mit Bad, drei Einzel mit Bad, zwölf Einzel mit Dusche und sechs nur mit WC.
Dieter	Was kostet zum Beispiel ein Doppelzimmer mit Bad?
Frau Lyon	Ein Doppelzimmer mit Bad kostet achtundsiebzig Mark inklusive Frühstück, Mehrwertsteuer und Bedienung.
Dieter	Und was servieren Sie zum Frühstück?
Frau Lyon	Zum Frühstück gibt es Kaffee, Tee oder Kakao nach Wahl, Käse, Aufschnitt, Butter, ein Ei, verschiedene Brotsorten, Brötchen und was die Gäste sonst noch wünschen—Orangensaft oder Tomatensaft, Porridge, Spiegeleier.
Dieter	Was für Leute kommen zu Ihnen?
Frau Lyon	Meistens Geschäftsleute.
Dieter	Wann kommen die meisten Gäste?
Frau Lyon	Wir haben das ganze Jahr Saison.
Dieter	Sind viele Ausländer darunter?
Frau Lyon	Achtzig Prozent unserer Gäste sind Deutsche und zwanzig Prozent Ausländer.
Dieter	Sprechen die Ausländer Deutsch?
Frau Lyon	Einige Ausländer sprechen Deutsch, aber die Engländer fast gar nicht. Aber wir sprechen Englisch.
Dieter	Gefällt Ihnen Ihre Arbeit?
Frau Lyon	Ja, wir haben jeden Tag andere Leute, andere Gespräche. Ich finde es sehr interessant, und ich mache es sehr gerne.

* For key to *Hören und Verstehen* passages, see page 99.

It's worth knowing

Booking a room

If you don't know where to start, your best bet is to go to the local tourist office for help —the **Verkehrsamt**, or **Verkehrsverein**, or **Zimmervermittlung** or **Zimmernachweis**, and if the place is a Spa, the **Kurverwaltung**. These are all usually located in or near the main railway station and have opening hours similar to those of shops. They will tell you all about local accommodation and book you in for a nominal fee.

For a simple bed and breakfast, look for a **Gästehaus** (sometimes called a **Fremdenheim**) or a **Hotel garni**. The equivalent of our boarding house is a **Pension**, offering either bed and breakfast or full board. Or there's a **Gasthof**—a pub with accommodation.

There is, of course, a wide range of hotels. These have been categorised as 'simple', 'good' and 'very good' by the German Hotel and Restaurant Association (**Deutscher Hotel und Gaststättenverband**) in its annual guide, the **Deutscher Hotelführer**, obtainable free of charge from the German Tourist Office in London. Other guides have categorised star systems, but will cost you money. In 'good' hotels, about 20% of the rooms have a shower or bath and in 'very good' hotels, the percentage is more like 60%. The difference in price between an **einfaches Zimmer** (without bath or shower) and a **Zimmer mit Bad** (or **mit Dusche**) is quite considerable. However, if you want a key to the communal bathroom, you can pay up to 5 DM for a bath. The hotels described as 'very good' have a lounge, a bar, and telephones in every room with a direct outside line—but beware, calls will cost you more than twice as much as in a telephone box.

Hotel prices normally include service and V.A.T.—and usually breakfast. The price displayed in your room will confirm whether this is so.

If you'd like a change from a hotel, try a holiday on a farm or at a converted castle (**Schlosshotel**). Or stay at one of the 1000 camping sites (**Campingplätze**) or 600 Youth hostels (**Jugendherbergen**).

12 ZWÖLF
Vier Plätze im Parkett

How to make an advance booking

ich möchte | zwei Plätze reservieren
ein Taxi vorbestellen

ich möchte gern | ein Einzelzimmer
zwei Karten für Sonntag

haben Sie noch Karten für | Dienstag?
das Konzert?

Auf dem Bahnhof, Düsseldorf **Platzkarten**

1 *Herr Flohr* Guten Morgen! Ich möchte am Freitag nach München fahren und zwei Plätze reservieren.
Angestellter Ja, mit welchem Zug fahren Sie?
Herr Flohr Mit dem Intercity um 10.26 Uhr.
Angestellter Ja. Möchten Sie Raucher oder Nichtraucher haben?
Herr Flohr Ja, Raucher, bitte.
Angestellter Am Fenster?
Herr Flohr Bitte, Fensterplätze.
Angestellter Einmal?
Herr Flohr Zweimal, bitte.
Angestellter 20 DM, bitte.

Liegekarten

2 *Gerhard* Eine Liegekarte für den Ost-Westexpress am Donnerstag, bitte.
Angestellter Wohin möchten Sie bitte fahren?
Gerhard Nach Berlin.
Angestellter Nach Berlin? Raucher oder Nichtraucher?
Gerhard Nichtraucher, bitte.
Angestellter Wo möchten Sie bitte liegen? Oben oder unten?
Gerhard Ja, unten.
Angestellter Unten, ja. Einen Moment, bitte.
(makes booking through computer)
Einen Augenblick bitte noch, ja? (booking comes through)
So, 12,50 DM macht das, bitte.

Im Verkehrsverein, Münster **Hotelzimmer**

3 *Jutta* Ich möchte gern ein Einzelzimmer mit Dusche, bitte schön.
Angestellte Ja. Wo soll das Hotel denn liegen?
Jutta Wenn möglich, zentral.
Angestellte Vielleicht das Hotel Kaiserhof. Es liegt sehr zentral. Sollen wir es da mal versuchen?
Jutta Ja, bitte.
Angestellte Wie lange brauchen Sie das Zimmer?
Jutta Für zwei Nächte.

Angestellte	Ja, einen Moment, bitte. (rings up hotel) Verkehrsverein, guten Tag! Ich möchte gerne ein Einzelzimmer reservieren, mit Dusche, für zwei Nächte . . . Sie sind ausgebucht? Schade! Danke schön . . . Auf Wiederhören! (puts the phone down) Das Hotel Kaiserhof ist leider ausgebucht. Vielleicht versuchen wir es im Hotel Horstmann. Es liegt dort auch in der Nähe.	
Jutta	Was kostet dort ein Zimmer?	
Angestellte	Ein Zimmer mit Frühstück, 50 DM.	
Jutta	Das ist recht.	
Angestellte	Gut, ich versuche es. Moment! (picks up the phone again)	

wo soll das Hotel denn liegen?	where would you like the hotel to be?
sollen wir es da mal versuchen?	shall we try there?
das ist recht	that's all right

4
Angestellte	Guten Tag!	**Stadtrundfahrt**
Frau Hinse	Ich möchte gerne zwei Karten für die Stadtrundfahrt.	
Angestellte	Ja, gern. Für welchen Tag, bitte?	
Frau Hinse	Wann sind denn die Stadtrundfahrten?	
Angestellte	Die Stadtrundfahrten sind von Dienstag bis Samstag, jeden Tag.	
Frau Hinse	Dann geben Sie mir zwei Karten für Samstag.	
Angestellte	Ja. Am Samstag ist die Stadtrundfahrt um 10.30 Uhr.	
Frau Hinse	Und wie lange dauert die Fahrt?	
Angestellte	Die Fahrt dauert zwei Stunden.	
Frau Hinse	Danke.	
Angestellte	Und die Karten kosten 5 DM das Stück.	
Frau Hinse	Sind zusammen 10, nicht?	
Angestellte	Ja, danke schön. Und hier sind bitte noch zwei Prospektchen für die Stadtrundfahrt.	
Frau Hinse	O, danke schön.	
Angestellte	Bitte, die Karten nicht vergessen!	
Frau Hinse	Ach, ja!	

wie lange dauert die Fahrt?	how long does the tour last?

An der Theaterkasse, Münster   **Theaterkarten**

5
Herr Klenke	Ich möchte gern zwei Karten für Sonntag.
Angestellte	Für den sechsundzwanzigsten, für *Dantons Tod?**
Herr Klenke	Ja.
Angestellte	Wo möchten Sie sitzen?
Herr Klenke	Im Parkett oder im ersten Rang.
Angestellte	(indicating seats on theatre plan) Ja. Ich habe zwei sehr gute Karten im ersten Rang Mitte in der ersten Reihe zu 8 DM.
Herr Klenke	Die nehme ich.
Angestellte	Zweimal. Das ist 16 DM.
Herr Klenke	(paying) 20 DM.
Angestellte	Ja, 4 DM zurück. Vielen Dank!
Herr Klenke	Ich danke auch. Wann beginnt die Vorstellung?
Angestellte	Die Vorstellung beginnt pünktlich um 20 Uhr.

im ersten Rang	in the dress circle

* *Danton's Death*—play by Georg Büchner.

6	*Angestellte*	Guten Tag!	**Konzertkarten**
	Herr Dittmar	Haben Sie noch vier Karten für Dienstag, für das Konzert?	
	Angestellte	Ja. Wir haben noch vier Karten im Parkett und auch vier Karten im zweiten Rang Seite.	
	Herr Dittmar	Was kosten die Karten?	
	Angestellte	Die Karten im Parkett kosten 12,50 DM, und die Karten im zweiten Rang Seite kosten 7,50 DM.	
	Herr Dittmar	Gut, dann nehme ich die Karten im Parkett.	
	Angestellte	Gern. Viermal 12,50 DM sind 50 DM.	
	Herr Dittmar	(paying) Bitte schön.	
	Angestellte	Danke schön.	
	Herr Dittmar	Wann beginnt das Konzert?	
	Angestellte	Das Konzert beginnt um 20 Uhr.	
	Herr Dittmar	Wann ist es zu Ende?	
	Angestellte	Es dauert normalerweise bis 22 Uhr.	

im zweiten Rang Seite   in the upper circle, at the side
wann ist es zu Ende?   what time does it finish?

7		*Bei Karola*	**Taxi**
	Karola	(on the phone) Wemhoff . . . Ich möchte gerne ein Taxi vorbestellen . . . Für 7 Uhr, bitte . . . Zum Bahnhof . . . Karola Wemhoff . . . Neubrückenstrasse 28, erste Etage links . . . Danke schön . . . Auf Wiederhören!	

For notes on how times are spoken, see page 90.

Übungen

1 Auf dem Bahnhof You want to reserve:

a   on the *   14·35 to Hanover on Friday.
Neither of you smoke and you both want to look at the countryside.

b   on the   09·20 to Munich on Wednesday.
You smoke and you want to look at the countryside.

c   on the   20·10 to Bonn on Sunday.
No one smokes and you've got business to discuss. (Anyway, it's dark outside!)

Now complete the following text, speaking all the parts aloud. If you have a partner, take turns at being the customer and the clerk.

Ich möchte nach.........fahren	*Angestellter:*
und..................reservieren.	Wann fahren Sie?
Am..................................	Mit welchem Zug fahren Sie?
Mit dem Intercity um............	Möchten Sie Raucher oder Nichtraucher?
....	Am Fenster?
...................·................	Einmal?
....	Bitte schön. Das macht..........................

* Intercity trains are first class only. A seat reservation costs 10 DM and is obligatory.

·····• STÄDTISCHE BÜHNEN, MÜNSTER •·····

GROSSES HAUS   KLEINES HAUS

Zum letzten Mal: **Der Barbier von Sevilla** Komische Oper von Rossini	20.00	Mi 22.5			
Amphitryon von Heinrich von Kleist	20.00	Do 23.5	20.30		**Frühlings-Erwachen** von Frank Wedekind
Amphitryon	20.00	Fr 24.5	20.00		Premiere: **Ballettabend**
Der Zigeunerbaron Operette von Johann Strauss	15.30	Sa 25.5	15.00		**Wir suchen Manitou** Jugendstück von Axt/Lorenz
Der Zigeunerbaron	20.00		20.30		**Kammerkonzert**
Die Ratten Tragikomödie von Hauptmann	15.30	So 26.5			
Diskussionsabend für Abonnenten	20.00		20.00		**Dantons Tod** Drama von Büchner
In seinem Garten liebt Don Perlimplin Belisa Oper von Wolfgang Fortner	20.00,	Mo 27.5	20.30		**Ballettabend**
Symphoniekonzert (Werke v. Beethoven, Berg, Tschaikowski)	20.00	Di 28.5	15.00		**Wir suchen Manitou**

KASSENPREISE

Grosses Haus	Reihe	DM	Kleines Haus	DM
Parkett	1-11	11,--	Parkett	8,50

Parkett
  I Rang Mitte
  I Rang Seite
	12-14
	1-3
	1-2
		10,--	Rang	6,--

I Rang Seite II Rang Mitte II Rang Seite	3 1-3 1	8,--		
II Rang Seite III Rang Mitte	2-3 1-2	5,--		
III Rang Seite	1-2	2,50		

Key:

Parkett	stalls
Reihe	row
I Rang	dress circle
II Rang	upper circle
III Rang	gallery
Mitte	centre
Seite	side

Haben Sie noch Karten für *Amphitryon*?
Für Freitag.
Im ersten Rang Mitte.
Zwei, bitte.

Was kosten die Karten?
Gut, die nehme ich.

Angestellte:
Ja, für wann?
Und wo möchten Sie sitzen?
Wieviele Karten möchten Sie?
Ja, ich habe noch zwei Plätze in der
zweiten Reihe.
Die Karten kosten 10 DM das Stück.

There isn't time to go to everything. Which five performances would you choose?
Use the pattern above to make your bookings (and don't always choose the same seats!)

Überblick

How to make an advance booking:

Ich möchte Ich möchte gern	zwei Plätze reservieren ein Taxi vorbestellen ein Einzelzimmer zwei Karten für Sonntag

Haben Sie noch Karten für	Dienstag? das Konzert? die Stadtrundfahrt?

Reserving train seats or couchettes:

Wann fahren Sie? Am | Mittwoch
Donnerstag

Mit welchem Zug
Um wieviel Uhr | fahren Sie? Mit dem Intercity um 10.26 Uhr
Um 20.10 Uhr

Wohin | möchten Sie bitte fahren?
fahren Sie? Nach | München
Berlin

You could be more concise:

Eine Liegekarte für den Ost-Westexpress am Donnerstag, bitte.

Further details:

Raucher oder Nichtraucher? Raucher
Nichtraucher

Am Fenster? Am Fenster
Wo möchten Sie bitte liegen? Oben
Oben oder unten? Unten

Buying tickets in advance:

Ich möchte zwei Karten für	das Konzert *Dantons Tod* die Stadtrundfahrt

When you want them for:

Für welchen Tag? Für | Dienstag
Samstag

Where you may want to sit in a theatre:

Wo möchten Sie sitzen? Im | Parkett
zweiten Rang Seite
ersten Rang Mitte
In der ersten Reihe

Lesen und Verstehen

Nach acht Das Stadttheater

Which symphony is the orchestra going to
play this evening?
Where does the guest director come from?
What colour are the choreographer's woolly
tights?
What's the make of the fridge in *Death of a
Salesman*?
At what small hour is the *Hallo Dolly* dress
liable to turn up?
What colour little dresses go with dark
blue suits?

Das Stadttheater? Aber bitte schön! Es steht im Stadtzentrum: Ein Glaspalast, der abends
leuchtet. Die Leute sagen: UNSER THEATER, wie UNSER RATHAUS und UNSER STADTBAD.
Sie sagen: UNSER TENOR HERR X. Sie sagen: UNSER BALLETT TANZT. Sie sagen: Unser
Sinfonieorchester spielt heute abend im Grossen Haus die Neunte. Und natürlich haben
sie Karten.

Viele haben feste Plätze und sind immer da, die ganze lange Saison lang: zu Komödien
und Tragödien; zu Opern und Operetten; zu Beethoven und Johann Strauss. Es gibt 28
Premieren in der Saison. Ein neuer Hut hat Premiere wie ein neues Stück.

In den Proberäumen und Ateliers sind die Lichter auf Rot: Ruhe! Im Magazin polieren
sie die Rose für den Rosenkavalier und die Gläser für das Rendez-Vous des Baron Ochs
von Lerchenau . . . PAPA! PAPA! PAPA! singt der Chor der Kinder im Raum nebenan.

Bei den Schauspielern ist Zirkus: der Gastregisseur aus Stockholm arbeitet mit seiner
Truppe. Der Intendant sagt: 'Tagchen, Kinderchen!' und hat nur fünf Minuten Zeit für
ein Interview. Dann hat er eine Konferenz mit dem technischen Direktor und dem
Generalmusikdirektor und dem Oberspielleiter.

Im Ballettsaal arbeitet der Choreograph aus Kuba; er hat ein rotes Wolltrikot an und
tanzt wie Feuer. Olé! Der Bühnenbildner baut ein Schlafzimmer und ein Wohnzimmer
und einen Eisschrank Marke Hastings für das Stück *Der Tod des Handlungsreisenden*.
Der Dramaturg liest und liest: alte Stücke von Arthur Miller; neue Stücke von Peter
Handke und David Storey.

Das Sinfonieorchester organisiert sich für einen grossen Abend, Violinen, Celli, Pauken,
Trompeten. Tutti—für das Finale der Neunten Sinfonie. Die Garderobiere ist allein mit
4000 Kleidern, Uniformen und Kimonos. Abends nach der Vorstellung wartet sie mit der
Uhr in der Hand: die Lamékleider und die Unterröcke kommen oft zu spät. Das silberne
Kleid aus *Hallo Dolly!* kommt oft erst gegen vier Uhr morgens.

Zur Premiere kommen die Honoratioren der Stadt: Herr Doktor, Herr Professor,
Herr Oberpostdirektor, Herr Oberregierungsrat. Der Oberbürgermeister hat seinen
festen Platz im ersten Rang, Mitte. Kleine schwarze Kleider promenieren neben
dunkelblauen Anzügen. Ringe glitzern und Ohrklips und Broschen aus Markasit.
Männer tragen Handtaschen, die Handtaschen ihrer Frauen. Und die Frauen essen mit
spitzen Fingern die Schokolade aus dem Pappkarton NACH ACHT. Eine Minute nach acht
beginnt die Vorstellung.

Herr Kaufmann conducts the orchestra at the Municipal Theatre in Münster.

How many players are in the orchestra?
How many concert rehearsals do they have?
How do singers behave when they want a leading role?
How long do the woodwind players need to warm up their instruments?
Why is beer the usual drink in an opera interval?
Do they go straight home after the opera?

Karola	Herr Kaufmann, was sind Sie von Beruf?
Herr Kaufmann	Ich bin Kapellmeister für Oper und Operette an den Städtischen Bühnen Münster. Das Orchester spielt Konzerte, Opern, Operetten, Ballette und Musicals.
Karola	Und wie gross ist es?
Herr Kaufmann	Das Orchester hat neunundfünfzig Mitglieder.
Karola	Wie oft gibt das Orchester Konzerte?
Herr Kaufmann	Zehn- bis sechzehnmal im Jahr.
Karola	Und wie oft spielt das Orchester für die Oper?
Herr Kaufmann	Das Theater produziert fünf bis sechs Opern im Jahr. Das sind etwa hundert Vorstellungen im Jahr. Am liebsten hat das Publikum das klassisch-romantische Konzertrepertoire, und in der Oper hat es am liebsten *Aida, Butterfly, Margarethe* (oder *Faust*), *Fidelio, Die Zauberflöte*.
Karola	Wieviele Proben macht das Orchester vor einem Konzert? Und wieviele vor einer Oper?
Herr Kaufmann	Vor einem Konzert macht das Orchester etwa vier bis sechs Proben. Vor einer Oper macht das Orchester zwei bis drei Proben alleine, dann eine Probe mit den Sängern, die heisst Sitzprobe, dann zwei bis drei Proben mit Bühne und Orchester, und vor der Premiere kommen da noch eine Haupt- und eine Generalprobe.
Karola	Haben die Sänger manchmal zu viel Temperament?
Herr Kaufmann	Sie haben ungeheures Temperament, wenn sie eine Hauptrolle singen möchten.
Karola	Wie lange muss ein Orchester vor einem Konzert da sein?
Herr Kaufmann	Eine halbe Stunde.
Karola	Und Sie?
Herr Kaufmann	Ich komme auch eine halbe Stunde vorher an.
Karola	Was machen Sie denn alle, bevor das Konzert beginnt?
Herr Kaufmann	Wir üben. Die Holzbläser vor allem spielen ihre Instrumente warm.
Karola	Und in der Pause?
Herr Kaufmann	In einer Konzertpause trinken wir manchmal Tee oder Kaffee, und in einer Opernpause trinken wir wohl auch Bier—weil eine Oper viel länger ist als ein Konzert. Nachher treffen wir uns in einer Stammkneipe.
Karola	Wie lange bleiben Sie da?
Herr Kaufmann	Muss ich das genau sagen?

It's worth knowing

A visit to the theatre

Most German theatres are repertory theatres. They put on more than a dozen plays per season, including at least ten new productions. Theatres are open daily including Sundays, with a different programme almost every night of the week.

The local daily paper will tell you what's on, or you can look for a **Litfassäule**, probably in a main street. This thick column, invented by a Herr Litfass, displays advertisements, posters and timetables for theatres, cinemas and operas.

You can get your tickets from theatre and concert agencies, from the **Tageskasse** of the theatre or opera house, or sometimes from the **Verkehrsverein**. In some cities even large stores sell theatre tickets. You can usually buy tickets eight to ten days in advance, but playhouses also have an **Abendkasse**, (opening one hour before the curtain rises) where you can buy any remaining tickets for that evening's performance.

Germans tend to regard a theatre visit as quite an occasion, and dress up accordingly.

Coats are normally left in the **Garderobe** (where there is a small charge) and not under the seat! It is worth buying a theatre programme which will give useful background information to the play. Many theatres also publish a monthly magazine.
Now sit back and enjoy the performance. The number of curtain calls is a measure of the success of a production, and people normally stay to show their appreciation—
or dislike! Afterwards you can have a drink at the nearby **Theaterklause, Theaterbar** or **Theatercafé**, where people meet and discuss the performance until the early hours.

DREIZEHN
Muss ich lange warten?

How to say you'd like to do something

ich möchte	ein Telegramm aufgeben
	Fräulein Hansen sprechen

1   **Rolf**   Ich möchte bitte ein Telegramm aufgeben.   **Auf der Post**
    Angestellter   Ja . . . Nach London?
    Rolf   Ja, nach London.

2   **Margot**   Ich möchte nach Leeds telefonieren. Kann ich durchwählen?
    Angestellter   Ja. Gehen Sie bitte in Zelle 4.

3   **Knut**   Ich möchte diesen Reisescheck einlösen.   **Auf der Bank**
    Angestellter   Ja. Könnten Sie bitte unterschreiben?
    (Knut signs form) Danke. Darf ich Ihren Pass sehen?
    Knut   Natürlich. (hands over passport)

4   **Barbara**   Ich möchte diese 20 Pfund in deutsche Mark wechseln, bitte.
    Angestellter   Sehr gerne, ja. Einen Augenblick, bitte. (calculates the amount)
    Das macht 128 DM. (giving her a chit) Gehen Sie bitte hiermit zur
    Kasse, dort bekommen Sie Ihr Geld. Die Kasse ist dort drüben.

gehen Sie bitte hiermit zur Kasse   take this to the cash desk please

5   **Sekretärin**   Firma Müller. Guten Tag!   **Am Telefon**
    Dieter   Lammers ist mein Name. Guten Tag! Ich möchte bitte
    Fräulein Hansen sprechen.
    Sekretärin   Fräulein Hansen ist leider nicht im Hause.
    Dieter   Wann ist sie wohl wieder da?
    Sekretärin   Ich glaube, sie ist in zwei Stunden wieder zurück.
    Dieter   Gut, dann rufe ich noch einmal an.
    Recht herzlichen Dank!
    Sekretärin   Nichts zu danken.
    Dieter   Auf Wiederhören!

. . . ist leider nicht im Hause   . . . isn't in, I'm afraid
wann ist sie wohl wieder da?   when is she likely to be back?

6   **Karola**   Ich möchte gerne die Nachrichten sehen.   **Im Hotel**
    Haben Sie einen Fernsehraum?
    Portier   Ja, wir haben unser Fernsehen im Frühstückszimmer stehen.
    Karola   Und wann beginnen die nächsten Nachrichten?
    Portier   Die nächsten Nachrichten beginnen um 20 Uhr.
    Karola   Ich danke Ihnen.

7   **Verkäuferin**   Kann ich Ihnen helfen?   **In einer**
    Elke   Nein, danke. Ich möchte mich nur umsehen.   **Boutique**

ich möchte mich nur umsehen   I'm just looking

How to say you'd like to have something done

ich möchte mir	die Haare* das Haar*	schneiden lassen waschen und legen lassen

ich möchte	diese Sachen reinigen lassen diesen Film entwickeln lassen

8   *Dieter*   Ich möchte mir gerne die Haare   **Beim Friseur**
                              schneiden lassen. Muss ich lange warten?
   Herr Lambrecht   Wenn Sie noch einen Moment Platz nehmen wollen, bitte.
          Dieter   Ja, gerne. (sits down)

ich möchte mir gerne die Haare schneiden lassen	I'd like to have my hair cut

9   *Frau Brackmann*   Ich möchte mir das Haar waschen und legen lassen.
   Herr Lambrecht   Haben Sie jetzt einen Termin?
   Frau Brackmann   Nein . . .

10   *Dieter*   Ich möchte gerne diesen Anzug reinigen lassen.   **In der**
   Angestellte   Ja, auf welchen Namen?   **Reinigung**
          Dieter   Lammers. (assistant writes name)
                             Wann ist der Anzug fertig?
   Angestellte   In drei Tagen.
          Dieter   Ja, dann komme ich dann wieder. Was kostet das?
   Angestellte   Die Jacke 3,50 DM, die Hose 3 DM.
          Dieter   Ja, ist gut. Bekomme ich ein Zettelchen?
   Angestellte   Ja.
          Dieter   Danke schön.

11   *Annette*   Ich möchte diese Sachen bitte reinigen lassen. Einmal diesen Pullover . . .
   Angestellte   Einen blauen Pullover, ja.
         Annette   Dann diesen Rock . . .
   Angestellte   Ein Faltenrock. Möchten Sie da die Falten
                             eingebügelt haben?
         Annette   Ja, bitte.
   Angestellte   Und möchten Sie darein Appretur haben?
         Annette   Ja, was kostet das denn dann?
   Angestellte   5,90 DM mit Appretur.
         Annette   Ja, danke, dann nehme ich das.
   Angestellte   Ja.
         Annette   Und diese Hose.
   Angestellte   Eine rote Hose. (writing out ticket) Und auf welchen Namen schreibe
                             ich das, bitte?
         Annette   Auf Annette Busley. Wann kann ich die Sachen bitte abholen?
   Angestellte   Am Freitag sind die Sachen fertig.

möchten Sie da die Falten eingebügelt haben?	would you like it repleated?
möchten Sie darein Appretur haben?	would you like it retextured?

* **das Haar** (sing.) and **die Haare** (pl.) can both be used.

Dieter	Ich möchte gerne diesen Film entwickeln lassen.
Verkäuferin	Ja, ein Schwarzweissfilm. Nur entwickeln oder sofort mit Bildern?
Dieter	Ich möchte gerne von jedem Bild einen Abzug.
Verkäuferin	Und in welcher Grösse, bitte? In 7 mal 10 oder in 9 mal 13?
Dieter	In 7 mal 10.
Verkäuferin	In Matt oder in Glänzend?
Dieter	In Matt, bitte.
Verkäuferin	Wie ist Ihr Name, bitte?
Dieter	Lammers.
Verkäuferin	(writing it down) Ja, und die Strasse, Herr Lammers?
Dieter	Friesenring 14. Wann sind die Bilder fertig?
Verkäuferin	Heute ist Montag—am Mittwoch nachmittag gegen 5 Uhr.
Dieter	Das ist gut.

Im Photogeschäft

von jedem Bild einen Abzug	one copy of each print
in 7 mal 10	in 7 by 10 (centimetres)
gegen 5 Uhr	about 5 o'clock

Übungen

1 Something's wrong here! Can you put the sentences right?

Ich möchte . . .

1	diesen Film *waschen und legen lassen.*	A	1 G
2	mir die Haare *nur umsehen.*	B	
3	Frl. Dr. Meier *reinigen lassen.*	C	
4	1001 Pfund in deutsche Mark *wechseln.*	D	
5	die Nachrichten *sprechen.*	E	
6	ein Telegramm *einlösen.*	F	
7	mich *entwickeln lassen.*	G	
8	diesen Reisescheck *aufgeben.*	H	
9	meinen Anzug *telefonieren.*	I	
10	nach Stuttgart *sehen.*	J	

2 You've arrived in Germany at the end of a world tour and you need some German marks:

Angestellter	Bitte schön?
	Ich möchte 10 englische Pfund in deutsche Mark wechseln.
Angestellter	Der Schalter da vorne, bitte.

Now change money from the currencies listed into German marks.

35	französische Francs
50	amerikanische Dollars
200	schweizer Franken
8000	japanische Yen
10000	italienische Lire

3 In der Reinigung You've been living out of a suitcase for the last two weeks and everything's filthy!

Ich möchte............ reinigen lassen.

Angestellte Den Mantel? Ja, 7,50 DM.

....

Angestellte Den Hut? Ja, geht in Ordnung.

....

Angestellte Den Anzug? Ja, das wird aber teuer!

....

Angestellte Den Overall? Hu ja!

....

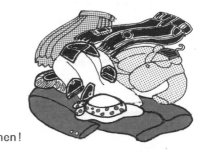

Angestellte Die Jeans? Die sind aber sehr kaputt!

....

Angestellte Den Rock? Natürlich. Mit Appretur?

Ja, bitte. ....

Angestellte Das T-Shirt? Das können Sie doch waschen!

4 Im Hotel Restaurant

You're having a late lunch. You're sure there's something wrong with the fish . . .

Ich möchte bitte .... sprechen.

Den Ober? Der ist nicht da.

....

Die Kellnerin ist beim Mittagessen.

....

Den Küchenchef? Der Küchenchef telefoniert.

....

Den Manager? Ja, der Manager ist in einem Meeting.

....

Den Hotelinhaber? Es tut mir leid, Herr Krause ist auf Reisen.

....sehen!

Einen Arzt? Ja, sofort!

5 Can you sort out these sentences?

Ich möchte	Super	trinken
Ich möchte	die Rechnung	kaufen
Ich möchte	im Ritz	haben
Ich möchte	zu Fuss	fahren
Ich möchte	nach Amerika	gehen
Ich möchte	Geld	tanken
Ich möchte	die Short-Story	übernachten
Ich möchte	ein Glas Wein	lesen
Ich möchte	ein Auto	bezahlen

Überblick

How to say you'd like to do something:

Ich möchte	ein Telegramm aufgeben
Ich möchte bitte	nach Leeds telefonieren
Ich möchte gerne	diesen Reisescheck einlösen
	Fräulein Hansen sprechen
	die Nachrichten sehen
	diese 20 Pfund in deutsche Mark wechseln

The verb expressing what you want to do comes at the end of the sentence.

How to say you'd like to have something done:

Ich möchte	diesen Anzug	reinigen	
Ich möchte bitte	diese Sachen		lassen
Ich möchte gerne	diesen Film	entwickeln	

Ich möchte mir	das Haar	schneiden	
Ich möchte mir gerne	die Haare	waschen und legen	lassen

You use **lassen** to say you want to have something done.

You use **mir** to say you want to have something done to yourself.

How to ask when things will be ready:

Wann ist	der Anzug	
	die Hose	fertig?
Wann sind	die Bilder	
	die Sachen	

—or when you can collect them:

	die Sachen	
Wann kann ich	den Anzug	abholen?
	die Hose	

'This' and 'these'

(dieser Anzug)		diesen Anzug	
(diese Hose)	Ich möchte	diese Hose	reinigen lassen
(dieses Jackett)		dieses Jackett	
(diese Sachen)		diese Sachen	

Selbst ist der Mann
Willfried und Cordula Bohlen

Why shouldn't the table have crossed the road?
Does Willfried have good eyesight?
By how many heads is Cordula shorter than him?
Who covered the sofa that Willfried made?
How many laps does Willfried run before going
home to dinner?

Ein Tisch geht durch die Strassen. Durch die Sonnenstrasse. Durch die Telgter Strasse.
Dann (oi!) bei Rot über die Kreuzung. Unterm Tisch gehen Sandalen, blaue Jeans, grünes
T-Shirt: Willfried Bohlen, 22 Jahre, Student, bringt seinen neuen Tisch nach Hause.

Willfried und Cordula Bohlen wohnen seit einem halben Jahr in der Bergstrasse 9 in
einer Dreizimmerwohnung. Willfried ist blond, dunkelblond und trägt eine Brille.
Er ist gross, sehr gross: ein Goliath! Cordula is klein, sie ist zwei Kopf kleiner als
Willfried. Aber sie ist auch blond, und wenn Willfried ein grünes T-Shirt trägt, trägt sie
auch ein grünes Hemd. Cordula ist Apothekenhelferin. Willfried will Arzt werden.
Sie sind seit einem Jahr verheiratet. Sie gehen (und sitzen) gern Hand in Hand.

Der neue Tisch kommt ins Wohnzimmer vor das Sofa, das Willfried selbst gebaut hat.
Willfried setzt sich auf das Sofa . . . Die Sofakissen und die Bezüge hat Cordula genäht.
Willfried steht auf und setzt sich dann wieder: Schöner Tisch! Aber auch nicht billig!
Dann steht er wieder auf und stellt Blumen auf den Tisch: Blumen für Cordula! Cordula
macht alle feinen Arbeiten—Kissen nähen, Bezüge nähen—und sie verdient das Geld
für die Familie: 1000 DM netto im Monat. Willfried macht alle schweren Arbeiten. Er hat
die Lampe installiert. Er hat das Regal gestrichen. Selbst ist der Mann! Willfried stellt
eine Flasche auf den neuen Tisch. Bourbon Whisky. Der ist für ihn.

Die Wohnung kostet 450 DM im Monat: Wohnzimmer, Schlafzimmer, Arbeitszimmer,
Küche und Bad. Das Schlafzimmer ist komplett: grosses Bett. Die Küche ist auch
komplett. Am Küchentisch frühstücken Cordula und Willfried jeden Morgen. Es ist ein
sehr schnelles Frühstück. Cordula sagt viel, Willfried sagt nicht viel. Nach dem Frühstück
(Küsschen! Tschüschen!) steigt Cordula in ihren alten DKW und fährt zur Apotheke,
Willfried setzt sich an seinen Arbeitstisch oder geht zur Universität. Oder er renoviert die
Wohnung. Er will das Regal grün anstreichen, das Regal für seine Bücher:
CHROMATOGRAPHISCHE UND MIKROSKOPISCHE ANALYSE VON DROGEN und EHEPAARE (hm?!)
von John Updike.

Wenn Cordula das Abendessen kocht, trainiert Willfried auf dem Sportplatz 5000-Meter-
Lauf. Cordula kocht zu gut! Willfried startet, Cordula steht in der Küche und macht
das Gas an. Nach der ersten Runde nimmt Willfried die Brille ab, Cordula setzt das
Wasser auf. Nach der zweiten Runde zieht Willfried die Trainingsjacke aus, Cordula
setzt die Kohlrabi auf. Nach der dritten Runde schwitzt Willfried. Cordula deckt den
Tisch. Nach der zehnten Runde kommt Willfried k.o. nach Hause: Essen!

Martin Kraemer's plans for the future and his views about national service.

Which grammar school does Martin go to?
What would he like to do after studying in Münster?
What does Martin believe no-one has the right to do?
To whom must he explain his reasons for not wanting to do national service?
Why would he like to do social service in a hospital or old people's home?
Will his friends do national service?

Karola	Wie ist Ihr Name, bitte?
Martin	Mein Name ist Martin Kraemer.
Karola	Wie alt sind Sie?
Martin	Ich bin jetzt siebzehn Jahre alt.
Karola	Sind Sie Schüler?
Martin	Ja, ich besuche das Schillergymnasium.
Karola	In welcher Klasse sind Sie?
Martin	Ich bin in der Unterprima.
Karola	Was möchten Sie werden?
Martin	Ich möchte gern Physik studieren.
Karola	Wo wollen Sie studieren?
Martin	Ich möchte wenn möglich hier in Münster studieren.
Karola	Ihr Studium, wie lange dauert das?
Martin	Es dauert zwölf Semester, das sind sechs Jahre.
Karola	Was möchten Sie nachher machen?
Martin	Ich möchte wenn möglich ein Jahr im Ausland studieren, in England oder Amerika.
Karola	Wann verlassen Sie die Schule?
Martin	Im Mai nächsten Jahres mache ich das Abitur.
Karola	Gehen Sie dann zur Bundeswehr?
Martin	Nein, ich will nicht zur Bundeswehr gehen. Ich finde, dass niemand das Recht hat, andere Menschen zu töten, wie im Vietnamkrieg und im Nahostkrieg. Ich bin Pazifist. Es gibt ein bestimmtes Komitee. Wenn es meine Gründe akzeptiert, dann muss ich nicht zur Bundeswehr.
Karola	Und wenn Sie nicht zur Bundeswehr müssen?
Martin	Dann muss ich eine Sozialarbeit machen. Ich möchte, wenn möglich, in einem Krankenhaus oder in einem Altenheim arbeiten. Ich finde, dort kann ich mehr für die Menschen tun als bei der Bundeswehr.
Karola	Wie lange müssen Sie arbeiten?
Martin	Sechzehn Monate, das ist ein Monat länger als der Dienst bei der Bundeswehr.
Karola	Und Ihre Freunde? Wollen die zur Bundeswehr gehen?
Martin	Ja, die möchten zur Bundeswehr. Da bekommen sie mehr Geld.

Hairdressers

Hairdressers are normally open from 9 till about 6.30 and on Saturdays till 4 or 5 o'clock. Except in hotels, stations and airports, they are closed all day Monday. It is advisable to make an appointment in advance—certainly with any good hairdresser. The more expensive ones are likely to call themselves **Coiffeur**, while the smaller and less expensive ones are called **Friseur, Friseursalon, Damenfriseur, Herrenfriseur**, etc. A special shampoo (**Spezial Shampoon**), conditioner (**Packung**) or setting lotion (**Festiger**) will make any hairdo more expensive.

If you have particular requirements, you may need to know the meaning of the following words:

nachschneiden	*to trim (in the same style)*
Neuschnitt	*new style, re-style*
Dauerwelle	*perm*
Strähnen	*highlights*
färben	*to tint*
bleichen	*to bleach*
föhnen	*to blow-dry*
Haar-Spray	*hair laquer, spray*

Dry cleaners

There are certainly more dry cleaners than fruit shops in every town. They often call themselves **Express-Reinigung** or **Schnell-Reinigung**, which doesn't mean that they are exceptionally quick: most things take a couple of days unless you go to a place that cleans by the hour. But such cleaners are more difficult to find. Special finish (**mit Appretur**), or an article that needs to be pressed by hand is, of course, more expensive than normal dry cleaning. Cheaper are the do-it-yourself cleaners, but there you are charged for a minimum of several kilos. Automatic launderettes—**Automaten-Wäschereien**—exist too, but there are not so many of these as many people have washing machines. And they don't work round the clock.

Denken Sie bei Ihren Textileinkäufen daran: Prüfen Sie, ob die Pflegesymbole enthalten sind und eine spätere Pflege garantieren. Sie wollen doch keine Wegwerf-Ware kaufen.

Waschen	95°C Koch- bzw. Weißwäsche	60°C Heißwäsche (Buntwäsche)	30°C Feinwäsche	nicht waschen	Zeichen für die chemische Reinigung und ihre Erklärung:
Bügeln	starke Einstellung	mittlere Einstellung	schwache Einstellung	nicht bügeln	Der Kreis besagt, daß chemisch gereinigt werden kann; wenn er allein steht, daß nur chemische Reinigung empfohlen wird. Die Buchstaben im Kreis geben dem Reinigungsbetrieb Hinweise für die in Frage kommende Reinigungsart. Der durchkreuzte Kreis bedeutet: nicht chemisch reinigen.
Chemisch-reinigen	(A)	(P)	(F) ⊗	/cl chloren möglich	nicht chloren

VIERZEHN

Könnten Sie mir bitte helfen?

How to request a service

könnten Sie bitte	meine Tasche nähen? das Öl prüfen?	
könnten Sie	mir uns	einen Aschenbecher bringen? ein Taxi bestellen?

1

Auf der Autobahn

Herr Herzog (telephoning) Könnten Sie mir helfen? Ich habe eine Panne.
Stimme Was haben Sie für ein Fahrzeug?
Herr Herzog Fiat 125.

ich habe eine Panne	my car's broken down
was haben Sie für ein Fahrzeug?	what sort of car do you have?

An der Tankstelle

2

Tankwart (to Barbara, who has just bought petrol) Haben Sie sonst noch einen Wunsch?
Barbara Ja. Könnten Sie bitte den Luftdruck prüfen?
Tankwart Ja, gerne. (checks tyre pressure) So, Ihr Luftdruck war in Ordnung.
Barbara Danke schön.

3

Tankwart Guten Tag! Was möchten Sie, bitte?
Knut Für 10 DM Super, bitte.
Tankwart Für 10 DM Super.
Knut Könnten Sie bitte das Öl prüfen?
Tankwart Ja, gerne. (checks oil) Öl ist in Ordnung!
Knut (paying) So, 10 DM.
Tankwart Danke schön. Ich wünsche Ihnen eine gute Fahrt!

4

Beim Schuhmacher

Jutta Ich möchte gern diese Schuhe besohlen lassen.
Schuhmacher Was für eine Sohle möchten Sie, eine Ledersohle oder eine Gummisohle?
Jutta Eine Ledersohle.

Schuhmacher	Eine Ledersohle, ist schön. Und wann möchten Sie die Schuhe wieder haben?
Jutta	Möglichst schnell.
Schuhmacher	Ja, dann würde ich vorschlagen morgen mittag.
Jutta	Ja, gut. Morgen mittag. Ich komme vorbei.
Schuhmacher	Ja, ja. Und Ihren Namen, bitte?
Jutta	Sewing.
Schuhmacher	Sewing, ja.
Jutta	Noch etwas, könnten Sie meine Tasche wohl nähen?
Schuhmacher	Ja, geht auch.

möglichst schnell	as soon as possible
dann würde ich vorschlagen	then I'd suggest
ich komme vorbei	I'll call in

5

Auf der Post

Frau Ebel	Könnten Sie mir bitte die Postleitzahl für Celle geben?
Angestellter	Ja, Celle hat die Postleitzahl 31.

6

Auf der Bank

Herr Zschucke	Könnten Sie mir 200 Mark in englische Pfund umtauschen?*
Angestellte	Ja, gerne.
Herr Zschucke	Wie ist der Kurs heute?
Angestellte	Sie zahlen 6,67 DM für ein Pfund.

* **umtauschen**—to exchange. This is the official word used for changing money, although **wechseln** is also widely used (see chapter 13, text 5).

7

Barbara	Könnten Sie mir bitte diesen Hundertmarkschein wechseln?
Angestellter	Ja, wie möchten Sie es gern haben?
Barbara	Einen Fünfzigmarkschein, zwei Zwanzigmarkscheine und einen Zehnmarkschein, bitte.

8

Im Restaurant

Corinna	Könnten Sie mir bitte einen Aschenbecher bringen?
Fräulein	O, Sie haben keinen Aschenbecher! Das tut mir aber leid!

9

An der Hotel Rezeption

Herr Denker	(arriving with family) Könnten Sie uns bitte mit dem Gepäck helfen?
Empfangsdame	Selbstverständlich! (calls bell-boy) Marco! Einmal Gepäck!

10

Karola	Guten Abend! Könnten Sie uns bitte morgen früh wecken?
Frau Lyon	Um wieviel Uhr, bitte?
Karola	Um 7 Uhr, bitte.
Frau Lyon	Um 7 Uhr, ja.
Karola	Könnten wir auch das Frühstück aufs Zimmer haben?
Frau Lyon	Ja. Was möchten Sie zum Frühstück, Tee oder Kaffee?
Karola	Kaffee mit Milch, bitte.
Frau Lyon	Ja. Möchten Sie auch ein Ei?
Karola	Ja, sehr gerne.
Frau Lyon	Ja, zweimal Kaffee, zwei Eier. Das geht in Ordnung.

11	Herr Hirsch	Könnten Sie mir bitte meine Rechnung fertig machen?
	Empfangsdame	Ja. Ihre Rechnung ist fertig. (gives him his bill) Das macht 48,80 DM.
	Herr Hirsch	Könnten Sie mir bitte ein Taxi bestellen?
	Empfangsdame	Ja. (rings for a taxi) Hotel Körner, einen Wagen bitte . . . Danke. (puts down receiver) Der Wagen kommt sofort.
	Herr Hirsch	Vielen Dank!

12		*Im Hotelzimmer*
	Frau Marcus	(to chambermaid) Entschuldigen Sie! Könnte ich noch ein paar Kleiderbügel haben?
	Zimmermädchen	Wieviele?
	Frau Marcus	Vier, bitte.
	Zimmermädchen	(fetches hangers) Hier sind die Kleiderbügel.
	Herr Marcus	Könnten Sie bitte diesen Anzug in die Reinigung geben?
	Zimmermädchen	Ja, natürlich.
	Herr Marcus	Könnten Sie bitte auch das Hemd waschen lassen?
	Zimmermädchen	Bis wann brauchen Sie das Hemd?
	Herr Marcus	Bis heute abend, bitte.

noch ein paar . . .   a few more . . .
bis wann?   by when?

Übungen

1 Use the following dialogues as a pattern and ask for the code numbers of the towns listed. If there are two of you, take turns at being the post office clerk and the customer.

a Telefonieren

Angestellter	Bitte schön?
Kunde	Ich möchte nach Hamburg telefonieren.
Angestellter	Ja, Zelle eins.
Kunde	Kann ich durchwählen?
Angestellter	Ja, Sie können direkt durchwählen.
Kunde	Könnten Sie mir bitte die Vorwählnummer geben?
Angestellter	Die Vorwählnummer für Hamburg ist null vier null.
Kunde	Danke schön.

Vorwählnummern in der BRD

Berlin	030
Hamburg	040
Düsseldorf	0211
Köln	0221
Hannover	0511
Frankfurt	0611
München	089

b Einen Brief schicken

Angestellter Bitte schön?
Kunde Könnten Sie mir bitte die Postleitzahl für Hamburg geben?
Angestellter Ja, Hamburg hat die Postleitzahl 2.
Kunde Vielen Dank!

Postleitzahlen in der BRD

1 Berlin	5 Köln	31	Celle
2 Hamburg	6 Frankfurt	44	Münster
3 Hannover	7 Stuttgart	4040	Neuss
4 Düsseldorf	8 München		

Herrn
Jochen Schöneis
3 Hannover
Parkweg 42

Notice how addresses are written: the code number comes before the name of the town, and the street comes last.

2 Auf der Bank

Changing money again! But this time from German marks into another currency, which the bank may not have at that moment.

Guten Tag! Könnten Sie mir bitte 100 DM in englische Pfund wechseln?*
Angestellter Ja, gerne. (writes out form) Könnten Sie bitte unterschreiben?
Ja.
Angestellter Danke schön. Gehen Sie bitte zur Kasse zwei.
Danke schön.

Now ask if they can change	100 DM	into	französische Francs
	150 DM		italienische Lire
	200 DM		schweizer Franken
	250 DM		amerikanische Dollars
	300 DM		japanische Yen

* or **umtauschen**, see page 33.

3 Könnten Sie bitte das Öl prüfen?

You have a long journey in front of you. Better fill up and make sure the car's in good order.

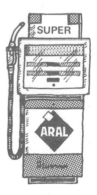

An der Tankstelle

....
Tankwart Super oder Normal?

....
Tankwart Bitte schön. Haben Sie sonst noch einen Wunsch?
Ja, ... prüfen?
Tankwart Das Öl ist in Ordnung.
Danke.................. auch.................. prüfen?
Tankwart Ja, die Batterie ist auch in Ordnung.
.... prüfen?
Tankwart Ja, das Wasser ist O.K.
.... auch................ .... prüfen?
Tankwart Einen Moment, bitte. Ja, der Luftdruck ist in Ordnung!
Danke schön......................................?
Tankwart 28 Mark. Danke schön. Ich wünsche Ihnen eine gute Fahrt!

Überblick

How to request a service:

		helfen?
		mit dem Gepäck helfen?
Könnten Sie	mir	die Postleitzahl für Celle geben?
		einen Aschenbecher bringen?
	uns	ein Taxi bestellen?
		200 DM in englische Pfund umtauschen?

Mir and **uns** show who the service is for, but you don't always need to say this:

	diesen Anzug in die Reinigung geben?
Könnten Sie bitte	das Hemd waschen lassen?
	meine Tasche nähen?
	den Luftdruck prüfen?

The verb expressing the service you are asking for is at the end of the sentence.

How to ask if you could have something:

Könnte ich	das Frühstück aufs Zimmer	
Könnten wir	dreimal Frühstück	haben?
	noch ein paar Kleiderbügel	

More uses of **den, diesen, einen:**

(der Luftdruck)	Könnten Sie bitte	den Luftdruck
(das Öl)		das Öl	prüfen?
(die Postleitzahl)	Könnten Sie mir bitte die Postleitzahl für Celle geben?

(der Hundertmarkschein)		diesen Hundertmarkschein wechseln?
(die Hose)	Könnten Sie bitte	diese Hose
(das Hemd)		dieses Hemd	reinigen lassen?

(der Aschenbecher)		einen Aschenbecher
(die Zeitung)	Könnten Sie mir	eine Zeitung	bringen?
(das Taxi)		ein Taxi bestellen?

Deutsch ist eine komische Sprache
Familie Antonio Martinez

What does Mr. Martinez change into when he's finished work?
Where does the little flag from his home town hang?
How *do* you say 'goal!' in Spanish?
Why can't Mrs. Martinez express herself in German, as Carlos can?
Who helps the children to do their homework?

17 Uhr 30. Antonio Martinez stapelt das letzte Paket. Er denkt: Adios! Bis Morgen!
Zu Hause in der Heidestrasse zieht er den Overall aus und zieht sein Freizeit-Hemd an.
Nach der Arbeit trinkt er gern ein Gläschen Bier.

In der Bundesrepublik arbeiten 2,6 Millionen Gastarbeiter aus der Türkei, Griechenland,
Jugoslawien und Spanien. In der Souvenir-Ecke bei den Martinez hängen ein Tambourin
und Kastagnetten und ein kleiner Wimpel aus Valencia, ihrer Heimatstadt. Der
Kanarienvogel heisst Behamin.

Antonio Martinez sitzt im Sessel und raucht ein Zigarillo. Er ist der Patriarch. Auf dem
Sofa sitzen seine Söhne Carlos, Antonio junior, Manuel. Manuel ist Lehrling in einer
VW-Garage. Antonio junior und Carlos gehen noch zur Schule. DIE DREI MARTINEZ
kommen! sagen die Leute in der Strasse. Alle drei haben dunkles Haar und dunkle Augen
und spielen gut Fussball . . . Tor! Im Fernsehen ist Fussball . . . Tor! Nach acht Jahren in
Deutschland ist Deutsch ihre neue Sprache. Nur Antonio Martinez senior ruft Tor! auf
spanisch.

Nadi Martinez ist Putzfrau. Sie spricht gar kein Deutsch. Putzen ist keine Arbeit, bei
der man Deutsch lernen kann. Sie singt Lieder aus Valencia bei der Arbeit. Sie ist klein
und wie ein Gummiball und lacht viel. Wenn sie deutsch sprechen muss, lacht sie auch:
Deutsch ist eine komische Sprache!

Carlos ist 10 Jahre alt. Er kann auf deutsch telefonieren und deutsche Mickymaushefte
lesen. Seine Mutter ist 45 und kann es nicht, nicht einmal Mickymaushefte lesen. Carlos
kann sagen, was er sagen will; seine Mutter nicht. Wenn er Schularbeiten macht, lacht
seine Mutter und fragt auf spanisch: Was ist das denn? Helfen kann sie Carlos nicht.

Wer hilft den Kindern? Wer hat Zeit für Manuel und Antonio? Und für Carlos und Pepe
und Asuncion und Juan . . .? Viele Kinder sind neu in Deutschland und kennen die
simpelsten Wörter nicht: Haus und Maus und Mutter und Vater . . . Wenn Carlos
Martinez Schularbeiten macht, lacht sein Vater auch nur und fragt auf spanisch:
Was ist das denn?

Viermal in der Woche gehen Carlos und Antonio auch nachmittags in die Schule.
Studenten und Lehrer helfen den spanischen Kindern bei den Schularbeiten.
Die Eltern sagen: Gracias a Dios! Das heisst: Gott sei Dank!

Am Sonnabend ist Spanischer Abend im Spanischen Zentrum. Das ist der Treffpunkt der
spanischen Gastarbeiter. Es ist ihr Madrid oder Valencia. Ein paar deutsche Freunde
sind auch dabei. Was heisst noch ZUM WOHL auf Spanisch? Sie spielen Karten und
Billard und lachen laut und sprechen leise von Spanien.

Frau Hinse talks about her work at an old people's day centre.

Does Frau Hinse's son still live with her?
Why are most of the old people lonely and looking for friendship and entertainment?
What do many ladies do to help lepers?
How old is the oldest member?
How often are there cheap theatre tickets?
Which concerts are free in the summer?
How long is the old people's holiday?

Dieter	Frau Hinse, was sind Sie von Beruf?
Frau Hinse	Ich bin Hausfrau.
Dieter	Haben Sie Familie?
Frau Hinse	Ich habe einen Sohn, der ist verheiratet und wohnt nicht mehr bei mir.
Dieter	Was machen Sie in Ihrer Freizeit?
Frau Hinse	Ich arbeite sehr viel in einer Altentagesstätte.
Dieter	Warum kommen die alten Leute zu Ihnen?
Frau Hinse	Die meisten alten Leute leben nicht mehr mit ihrer Familie zusammen. Sie sind einsam. Sie suchen bei uns Freundschaft und Unterhaltung.
Dieter	Wann ist die Tagesstätte geöffnet?
Frau Hinse	Am Montag, Dienstag, Donnerstag, von drei bis sechs Uhr.
Dieter	Und was machen die alten Leute die ganze Zeit dort?
Frau Hinse	Sie trinken Kaffee. Einige spielen Karten, andere spielen 'Mensch ärgere dich nicht!', viele Damen stricken dann auch für Leprakranke.
Dieter	Wie alt sind die Leute?
Frau Hinse	Unsere Jüngsten sind sechzig, und unsere Seniorin ist dreiundneunzig. Die ist aber noch so fit, die tanzt vielleicht noch einen Walzer und spielt Rommé. Die macht alles mit!
Dieter	Wieviele kommen überhaupt zu einem Nachmittag?
Frau Hinse	Das ist verschieden, zwischen fünfzehn und fünfundvierzig.
Dieter	Kommen Männer und Frauen?
Frau Hinse	Ja, aber Männer sind sehr wenig da.
Dieter	Wieviele Altentagesstätten gibt es in Münster?
Frau Hinse	Fünf.
Dieter	Was gibt es sonst noch in Münster für alte Leute?
Frau Hinse	Ja, da gibt's so verschiedenes, die Seniorenkarte für den Bus, dann verbilligte Zookarten, einmal im Monat gibt es verbilligte Theaterkarten, die Schlossgartenkonzerte im Sommer sind umsonst, und dann haben wir noch die Altenerholung für die Dauer von drei Wochen.
Dieter	Und wo fahren Sie hin?
Frau Hinse	Meistens zum Sauerland.
Dieter	Frau Hinse, was gefällt Ihnen besonders an Ihrer Arbeit?
Frau Hinse	Dass ich eine Aufgabe habe, und dass ich anderen helfen kann.

It's worth knowing

Breakdown Services

Faced with a car breakdown—and not a garage in sight—your best course is to ring one of the German automobile clubs. The largest is the ADAC (the **Allgemeiner Deutscher Automobilclub**) with about 50 regional offices and some 700 patrol cars. The yellow Volkswagens driven by its patrolmen have been given the nickname 'Club of Yellow Angels'. The ADAC only charge for spare parts and will also help non-members free of charge, though of course their own members and those of affiliated foreign motoring clubs receive priority. If your car gives up on the Autobahn, get to the next emergency call box (**Notrufsäule**) and lift the flap. The **Autobahnmeisterei** (local road patrol) will answer automatically and ask you your location (the exact kilometer is marked inside the box), car make and registration number, your name and address and what you think the trouble is. If you're not sure, '**Ich habe eine Panne**' covers everything from an electrical fault to a blow-out. You will also be asked what help you require—for example a mechanic from a local garage, an ADAC patrol car, or (if you're sure you need it) a towaway vehicle. Here is a typical dialogue at a **Notrufsäule**:

Autobahnmeisterei	Autobahnmeisterei, guten Tag!
Herr Herzog	Guten Tag! Könnten Sie mir helfen? Ich habe eine Panne.
Autobahnmeisterei	Ja. Wo stehen Sie? Was für einen Kilometer?
Herr Herzog	(reading Km number inside call-box) Autobahn Münster, Richtung Bremen, Kilometer zweihundertzweiundsiebzig.
Autobahnmeisterei	Was haben Sie für ein Fahrzeug?
Herr Herzog	Fiat 125.
Autobahnmeisterei	Was fehlt dem Fahrzeug?
Herr Herzog	Ich vermute, es ist der Vergaser.
Autobahnmeisterei	Könnten Sie mir das Kennzeichen sagen?
Herr Herzog	Ja, MS — DD 940.
Autobahnmeisterei	Wie ist Ihr Name?
Herr Herzog	Herzog.
Autobahnmeisterei	Wo wohnen Sie?
Herr Herzog	In Münster.
Autobahnmeisterei	Wer soll Ihnen helfen, was soll geschehen? Wen möchten Sie gerne?
Herr Herzog	Ich möchte gerne, dass ein Fahrzeug des ADAC vorbeikommt.
Autobahnmeisterei	Gut! Ich gebe das durch, ja?
Herr Herzog	Gut! Danke schön.

Another ADAC service is the **Reiseruf**—emergency travel call. They will arrange for radio stations to broadcast an emergency call from home to any traveller.

O, wie schade!

Encountering difficulties

1

An der Hotel Rezeption

Corinna Guten Tag! Haben Sie ein Doppelzimmer frei?

Empfangsdame Es tut mir leid, ich habe gar kein Zimmer mehr frei. Es ist alles ausgebucht.

Corinna O, wie schade! Wo ist hier in der Nähe ein Hotel, das Zimmer frei hat?

Empfangsdame Versuchen Sie es bitte einmal im Hamtor Hotel. Das liegt auf der Sebastianusstrasse.

Corinna Hamtor Hotel, Sebastianusstrasse. Danke schön.

. . ., das Zimmer frei hat?   . . . which has rooms available?

2

Im Verkehrsverein

Herr Grund Guten Tag! Ich suche ein Einzelzimmer.

Angestellte Für wie lange, bitte?

Herr Grund Bitte eine Nacht.

Angestellte Ja, und mit Dusche oder Bad?

Herr Grund Mit Dusche.

Angestellte Ja. Es dürfte nicht ganz einfach sein. Wir haben eine Konferenz in Münster. Aber ich will es versuchen. (rings an hotel)
Verkehrsverein, Lindemann, guten Tag! Haben Sie bitte für heute nacht ein Einzelzimmer mit Dusche oder Bad frei? . . . Danke. (to Herr Grund) Es tut mir sehr leid, aber das Hotel ist belegt. Es gibt dort kein Zimmer. Ich will es aber gern noch einmal in einem anderen Hotel versuchen.

Herr Grund Das ist sehr nett!

Angestellte (rings another hotel) Verkehrsverein, Lindemann, guten Tag! Haben Sie bitte für heute nacht ein Einzelzimmer mit Dusche oder Bad frei? . . . Ja . . . (to Herr Grund) Es ist dort kein Zimmer mit Dusche oder Bad frei, aber Sie könnten in der dritten Etage ein einfaches Zimmer haben, ohne Dusche oder Bad.

Herr Grund Ja, dann nehme ich das.

es dürfte nicht ganz einfach sein   it might not be very easy
ein einfaches Zimmer   just a room

3

An der Theaterkasse

Barbara Ich möchte bitte zwei Karten für *Ein Glas Wasser.**

Angestellte Für wann, bitte?

Barbara Für morgen abend.

Angestellte Morgen abend ist leider ausverkauft.

Barbara O, für wann haben Sie noch Karten?

Angestellte Für nächsten Mittwoch.

Barbara Schade! Das geht nicht.

Angestellte Schade!

das geht nicht   that's no good

* *Le verre d'eau*   19th century French play by Eugène Scribe.

4	Frau Brandi	Ich möchte gerne drei Karten haben für den Ballettabend, die Premiere.
	Angestellte	Die ist am Donnerstag, am Dreiundzwanzigsten, und wir sind fast ausverkauft. Ich habe nur zwei gute Karten im Parkett zu 10 DM.
	Frau Brandi	O, wie schade! Aber die zwei Karten nehme ich.
	Angestellte	Gerne. Zweimal 10 DM. Das sind 20 DM.
	Frau Brandi	Und wann beginnt die Vorstellung?
	Angestellte	Die Vorstellung beginnt pünktlich um 20.30 Uhr.
	Frau Brandi	Und wann ist die Vorstellung zu Ende?
	Angestellte	Sie ist ungefähr um 22.30 Uhr zu Ende.

5

In der Apotheke

	Apotheker	Guten Morgen! Bitte schön?
	Kundin	Haben Sie etwas gegen Halsschmerzen?
	Apotheker	Da kann ich Ihnen diese Tabletten mit dem Vitamin C Zusatz empfehlen. Die sind sehr gut.
	Kundin	Wie oft muss ich sie nehmen?
	Apotheker	Stündlich eine Tablette im Munde langsam zergehen lassen.
	Kundin	Was kosten die?
	Apotheker	3,75 DM.
	Kundin	Gut, die nehme ich. (paying) So, bitte schön.
	Apotheker	Danke schön. Und 1,25 DM zurück.

etwas gegen Halsschmerzen   something for a sore throat
eine Tablette im Munde langsam   let one tablet dissolve slowly in
   zergehen lassen.   your mouth.

6	Herr Finger	Haben Sie etwas gegen Kopfschmerzen?
	Apotheker	Ja, natürlich. Ich kann Ihnen 100 Stück Aspirin anbieten für 7,50 DM oder 20 Stück für 2 DM.
	Herr Finger	Dann nehme ich die grosse Packung für 7,50 DM.

Gisela	Haben Sie etwas gegen Magenbeschwerden?
Apotheker	Ja, wie äussern sich denn die Magenbeschwerden?
Gisela	Mir ist übel, und ich habe Durchfall.
Apotheker	Ah, ja! Ich zeige Ihnen mal ein Medikament. Das sind Dragees. Davon sollten Sie dreimal täglich zwei nehmen, und wenn es nicht besser wird, zum Arzt gehen.
Gisela	Was kosten die Dragees?
Apotheker	Die kosten 3,55 DM. (she gives him 5,55 DM) Danke. Und 2 DM, bitte schön.

wie äussern sich denn die Magenbeschwerden?	what are the symptoms of your stomach upset?
mir ist übel	I feel sick
dreimal täglich	three times a day

Übungen

1 Haben Sie . . . ?

Haben Sie.................?
Ja, Orangen, Äpfel und Weintrauben.

.............................?
Nein, nur Brötchen.

.............................?
Ja, Schweizer, Holländer oder Brie.

.............................?
Ja, Karotten und auch Salat.

.............................?
Ja, Kalbfleisch oder Schweinefleisch.

.............................?
Ja, Sacher oder Schwarzwälder Kirsch
  oder Käsesahne.

.............................?
Sahne macht dick!

.............................?
Ja, einen sehr süffigen Mosel.

.............................?
Ja, mit Filter.

.............................?
Ja, Rosen und Fresien.

.............................?
Nein, Orchideen haben wir nicht.

.............................?
Ja, Havanna oder Brasil.

.............................?
Ja, in der Dose. À la Bolognaise.

.............................?
Haben Sie denn keine Tragetasche?! Wir haben doch nicht alles!

Pick the right word
from the following:

Blumen
Fleisch
Obst
Spaghetti
Zigaretten
Torten
Orchideen
Weisswein
Sahne
Brot
Zigarren
Gemüse
Käse

What was your last request?

2 Which of the two?

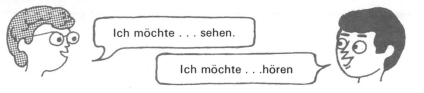

Ich möchte . . . sehen.

Ich möchte . . . hören

die Sinfonie	den Film
den Stadtplan	das Baby
die Schallplatte	die Musik
das Sonderangebot	Miss World
die Callas	die Speisekarte
das Radioprogramm	das Fernsehprogramm

3 The Rake's progress!

Für wie lange brauchen Sie mein Büro?
Vom dreizehnten Juni bis zum siebzehnten Juni.   Für fünf Tage.

Für wie lange brauchen Sie meine Sekretärin?
Von Montag den Siebten bis Montag den Vierzehnten.   ....

Für wie lange brauchen Sie mein Telefon?
Von 15.30 Uhr bis 17.30 Uhr.   ....

Für wie lange brauchen Sie den Kredit?
Vom ersten Januar 75 bis ersten Januar 77.   ....

Für wie lange brauchen Sie ein Bett?
Bis morgen.   ....

Für wie lange brauchen Sie meinen Koffer?
Vom dreizehnten Sechsten bis zum siebenundzwanzigsten
  Sechsten.   ....

Für wie lange brauchen Sie meinen Pass?
Von Anfang Juni bis Ende Juni   ....

Für wie brauchen Sie meinen Wagen?
Für drei Monate . . . !   ....

4 Was möchten Sie sehen?

You're interested in sport, cowboy films and opera. Which television programmes would you like to watch?

Ich möchte.........................sehen.

Wann.......................................?

Das Programm beginnt um..........Uhr.

Und wann................................?

Das Programm ist um......Uhr zu Ende.

Danke schön.

And how many opportunities are there to see the news?

15.10	**Nachrichten–Wetter**	F
15.15	**Volkstanz der Welt. Türkei**	F
15.45	**Buffalo Bill, der weiße Indianer**	F
	Amerikanischer Spielfilm aus dem Jahre 1944	
17.15	**Die Sport–Reportage**	F
18.05	**Teletips für die Gesundheit**	F
18.10	**Nachrichten–Wetter**	F
18.15	Die Leute von der Shiloh Ranch	F
	Der Pferdedieb	
19.15	**Treffpunkt Ü–Wagen 4**	F
19.45	**Nachr.–Wetter–Drüben**	F
20.15	**Der Barbier von Sevilla**	F
	Komische Oper von Gloacchino Rossini	
22.40	**Nachrichten–Wetter**	F

5 Tablets for everything

Apotheker	Guten Tag! Bitte schön?
Kunde	Haben Sie etwas gegen....................?
Apotheker	Ja, ich kann Ihnen diese Tabletten empfehlen. Die sind sehr gut.
Kunde	Wie oft muss ich die Tabletten nehmen?
Apotheker	Alle drei Stunden.
Kunde	Haben Sie....................?
Apotheker	Ja, ich kann Ihnen diese Tabletten empfehlen. Die sind sehr gut.
Kunde	Wie oft....................?
Apotheker	Stündlich eine Tablette im Mund zergehen lassen.
Kunde	....................?
Apotheker	Ja, ich kann Ihnen diese Dragees empfehlen. Die sind sehr gut.
Kunde	....................?
Apotheker	Dreimal täglich vor dem Essen.

1 Kopfschmerzen

2 Halsschmerzen

3 Magenbeschwerden

Überblick

Encountering difficulties:

When looking for an hotel room you may be told:

Es tut mir leid, | es ist alles ausgebucht
| ich habe (gar) kein Zimmer mehr
| es gibt dort kein Zimmer

—and at a theatre box office:

Wir sind fast | ausverkauft
Für........ist leider alles |

O, wie schade!

At the chemist's:

Haben Sie etwas gegen | Halsschmerzen?
| Kopfschmerzen?
| Magenbeschwerden?

possible answers:

			possible answers:
Wie oft muss ich	die Tabletten	nehmen?	Stündlich
	die Dragees		Dreimal täglich
			Vor
			Nach ∣ dem Essen

Lesen und Verstehen

Fernsehen

Hilfe Is the taxi ever hailed?
Is the fat man ever asked to recommend a hotel?
Who is told to remove his suitcase, A or B?
Why can't B get his leg out of the way?
Does B have any money to lend A?
Do you think they're ever going to get up?

A Entschuldigen Sie bitte! Könnten Sie vielleicht meinen Koffer ein Stückchen tragen?

B Ja, aber selbstverständlich, wenn Sie meine Tasche halten könnten—und auch den Schirm.

A Könnten Sie mich dann bitte auch zum Taxi bringen?

B Aber natürlich! Wenn Sie ein Taxi anhalten könnten.

A Ja, möchten Sie das Taxi nicht lieber anhalten? Ich habe doch Ihre Tasche und den Schirm.

B Ja, aber natürlich! Wenn Sie Ihren Koffer einen Moment nehmen könnten.

A Ja, aber natürlich! Wenn Sie Ihre Tasche und Ihren Schirm wieder nehmen könnten.

B Mm . . . (PAUSE) Ich möchte Sie gern mal etwas fragen . . . Könnten Sie mir vielleicht ein Hotel empfehlen?

A Sie möchten ein Hotel? Ja, warten Sie mal . . . Ja, wenn ich das könnte! Könnten Sie nicht vielleicht jemand anders fragen?

B Ja, aber klar, wenn Sie vielleicht jemanden finden könnten.

A Könnten Sie nicht den dicken Herrn da fragen?

B Könnten Sie nicht . . . Möchten Sie denn nicht den dicken Herrn da fragen? Sie sind so viel artikulierter.

A Herzlich gern! Könnten Sie ihn vielleicht anhalten?

B Herzlich gern! Wenn Sie vielleicht auf meine Tasche und meinen Schirm aufpassen könnten.

A Ja, wenn Sie auf meinen Koffer aufpassen könnten.

B Möchten Sie nicht vielleicht selber auf Ihren Koffer aufpassen? Ich habe doch meine Tasche und den Schirm.

A Und ich habe den Koffer!

B Möchten Sie nicht ein bisschen freundlicher sein?

A Möchten Sie nicht ein bisschen freundlicher sein? Ihre Manieren . . .

B Könnten Sie bitte Ihren Koffer da wegnehmen!

A Könnten Sie bitte Ihre Tasche da wegnehmen!

B Könnten Sie bitte Platz machen!

A Könnten Sie bitte aus dem Weg gehen!

B Platz da!

A Weg da!

B Hilfe......! (PAUSE) Könnten Sie mir vielleicht helfen?

A Ja, ja, ja! Wenn Sie mir helfen könnten!

B Könnten Sie nicht aufstehen? Das könnte mir sehr helfen!

A Ja, wenn Sie Ihr Bein wegnehmen könnten.

B Ja, wenn Sie Ihr Bein wegnehmen könnten. (PAUSE) Haben Sie eine Zigarette?

A Ja, wenn Sie mir Feuer geben könnten.

B Ja, wenn Sie mir mein Feuerzeug geben könnten. Es ist in meiner rechten Jackentasche.

A Ihr Feuerzeug, bitte schön!

B Feuer, bitte schön!

A Danke schön! Ihre Zigarette, bitte schön!

B Danke schön. Sehr liebenswürdig!

A Möchten Sie nicht aufstehen?

B Nein, wenn Sie nicht aufstehen möchten . . .

A Möchten Sie mein Taschentuch?

B Möchten Sie meinen Kamm?

A Haben Sie vielleicht 5 Mark?

B Haben Sie 5 Mark?

A Wenn Sir mir 5 Mark leihen könnten.

B Ja, aber natürlich, wenn Sie mir einen Scheck geben könnten.

A Hm . . . (PAUSE) Entschuldigen Sie, könnten Sie mich vielleicht bis zur nächsten Ecke tragen?

B Ja, aber gern, wenn Sie aufstehen könnten . . .

Herr Fuhrmann who has been blind from early childhood talks about his hobbies.
What kind of orchestra does Herr Fuhrmann direct?
How many tapes has he got?
What is the taped magazine called?
Where do the members live?
What is in it?
How many people contribute to the *Continental Express*?
How often does Herr Fuhrmann receive the taped magazine and the round robin?

Dieter	Herr Fuhrmann, was sind Sie von Beruf?
Herr Fuhrmann	Ich bin Telephonist.
Dieter	Sind Sie verheiratet?
Herr Fuhrmann	Ja, ich bin verheiratet und habe eine Tochter. Sie heisst Birgit und ist jetzt dreieinhalb Jahre alt.
Dieter	Was machen Sie in Ihrer Freizeit? Haben Sie ein Hobby?
Herr Fuhrmann	Ja, ich habe mehrere Hobbies. Ich höre gern Musik, ich spiele auch selbst Gitarre, und ich leite ein kleines Mandolinenorchester. Dann habe ich auch eine grosse Schallplattensammlung und auch viele Tonbänder.
Dieter	Wieviele Tonbänder haben Sie?
Herr Fuhrmann	Etwa zweihundertfünfzig.
Dieter	Ist da nur Musik drauf?
Herr Fuhrmann	Nein, auch Hörspiele und Beiträge zum *Klingenden Band*.
Dieter	Was ist das *Klingende Band*?
Herr Fuhrmann	Das *Klingende Band* ist eine private Tonbandzeitschrift. Sie hat zwanzig Mitglieder.
Dieter	Wo wohnen die Mitglieder?
Herr Fuhrmann	Ja, in der ganzen Bundesrepublik, in West Berlin und zwei von ihnen sogar in Wien.
Dieter	Was für Beiträge sind in der Zeitschrift?
Herr Fuhrmann	Nun, alles mögliche. Wir haben Literatur, Musik, Reportagen und Diskussionsbeiträge über alle möglichen Themen.
Dieter	Und wie oft erscheint das *Klingende Band*?
Herr Fuhrmann	Einmal im Monat.
Dieter	Was haben Sie denn sonst noch im Archiv?
Herr Fuhrmann	In meinem Archiv habe ich auch noch die interessantesten Beiträge aus dem *Continental Express*.
Dieter	Was ist denn das?
Herr Fuhrmann	Ja, das ist ein Tonbandbrief zwischen zwei Engländern und zwei Deutschen—sozusagen ein Rundbrief.
Dieter	Und wie oft bekommen Sie den *Continental Express*?
Herr Fuhrmann	Auch jeden Monat einmal.
Dieter	In welcher Sprache ist der *Continental Express*?
Herr Fuhrmann	In Englisch. Meine englischen Freunde sprechen kein Deutsch.
Dieter	Haben Sie bei so vielen Hobbies überhaupt noch Zeit für Ihre Familie?
Herr Fuhrmann	Doch natürlich. Meine Familie macht dabei mit.

It's worth knowing

When you need medicine, you should go to an **Apotheke**. These are plentiful in Germany, and each Apotheke stores between 10- and 13,000 of the 55,000 medicines at present on the German market. The one you want is bound to be among them! All German medicines are ready packed, so you always know exactly what you're taking. In each pack there is a printed analysis of contents, list of side effects, dosage, etc. If you want to enquire about any medicine, most Apotheken have a micro-film index of all medicines available on the German market, and can give you details of names, prices, packing and makers within seconds.

If you have a sickness certificate, a **Krankenschein** (see *It's worth knowing,* chapter 16), you will be entitled to an 80% subsidy towards the cost of medicines, and the maximum you'll have to pay is 2,50 DM per prescription. (Another reason not to forget your E111 form when you go to Germany!) If you go to the doctor as a private patient, the cost is considerably higher. In big cities some **Apotheken** sell foreign medicines. These are often called **Pharmacie Internationale** or **International Pharmacy**. Foreign products are, of course, more expensive, so it would be cheaper to find the German equivalent of your English brand. The pharmacist should be able to help you.

Apotheken are open during normal shopping hours, and work a night shift on a rota basis. Every **Apotheke** displays the week's rota of pharmacists on night duty. If the **Apotheker** is asleep, ring the night bell —**Nachtglocke**.

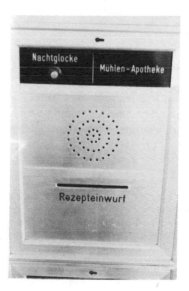

16 SECHZEHN
Wo treffen wir uns?

How to make an appointment, arrange to meet

1   **Beim Arzt**   **Ein Termin**

Patientin   Ich möchte gern zu Herrn Doktor.
Assistentin   (checks in appointments book) O, heute geht es nicht mehr.
Patientin   Wann kann ich dann kommen?
Assistentin   Morgen früh um acht?
Patientin   Schönen Dank. Auf Wiedersehen!

> ich möchte gern zu Herrn Doktor   I'd like to see the doctor

2   **Beim Zahnarzt**

Karola   Ich möchte bitte einen Termin für nächste Woche.
Assistentin   Ja, es geht aber nur bei Herrn Debbert Senior in der nächsten Woche.
Karola   Ja, das ist mir recht.
Assistentin   Möchten Sie vormittags
kommen oder lieber nachmittags?
Karola   Vormittags, bitte.
Assistentin   Ist Ihnen Donnerstag 10.30 Uhr recht?
Karola   Ja, ist gut.
Assistentin   Wie ist Ihr Name, bitte?
Karola   Karola Wemhoff.
Assistentin   Danke, ich trage es ein.

> möchten Sie lieber . . . ?   would you rather . . . ?

    Beim Friseur

3 *Frau Brackmann*   Ich möchte mir das Haar waschen und legen lassen.
Herr Lambrecht   Haben Sie einen Termin jetzt?
Frau Brackmann   Nein. Könnte ich jetzt drankommen?
Herr Lambrecht   Im Moment leider nicht. Könnten Sie heute nachmittag kommen?
Frau Brackmann   Ja, wann?
Herr Lambrecht   Um halb drei hätte ich einen Termin.
Frau Brackmann   Ja, das geht. Halb drei.
Herr Lambrecht   Ja. Wie ist Ihr Name, bitte?
Frau Brackmann   Brackmann.
Herr Lambrecht   (writes down name) Brackmann. Ja. Schönen Dank, Frau Brackmann.

> könnte ich jetzt drankommen?   could I have it done now?

    (Frau Brackmann returns at 2.30)

Frau Brackmann   Ich habe um halb drei einen Termin.
Friseuse   Wie ist Ihr Name, bitte?
Frau Brackmann   Brackmann.
Friseuse   Gut. Sie sind bei mir angemeldet. Ich bin Frau Hennings.

4
Dieter	Wollen wir heute abend essen gehen?	Eine Verabredung
Karola	Heute? Leider nicht.	
Dieter	O, das ist schade! Geht es denn am Freitag?	
Karola	Ja.	
Dieter	Wollen wir zu Pinkus Müller* gehen?	
Karola	Gute Idee!	
Dieter	Wo wollen wir uns treffen?	
Karola	Vielleicht am Aasee?**	
Dieter	Das ist gut. Um wieviel Uhr?	
Karola	Gegen 7 etwa?	
Dieter	Ja, prima! Treffen wir uns am Freitag um 7 Uhr am Aasee.	
Karola	Ja, ich freue mich.	

wollen wir (essen gehen)?	shall we (go out for a meal)?
wo wollen wir uns treffen?	where shall we meet?
ich freue mich	I look forward to it

* a restaurant in Münster
** lake in Münster—the café by the lake is a popular meeting place

5
Paul	Im Kino läuft ein guter Film. Wollen wir gehen?
Barbara	Ja, wann?
Paul	Vielleicht morgen abend.
Barbara	Ja, gut. Wann beginnt der Film?
Paul	Um 20 Uhr.
Barbara	Um 20 Uhr. Ich komme gern mit. Wo treffen wir uns?
Paul	Wir treffen uns vor dem Kino.
Barbara	Wann?
Paul	Kurz vor acht.
Barbara	Zehn vor acht vorm Kino.
Paul	Gut!
Barbara	Bis morgen abend dann!

im Kino läuft ein guter Film	there's a good film on
ich komme gern mit	I'd like to come

6
Jochen	Haben Sie heute abend schon etwas vor?
Jutta	Nein, bis jetzt noch nicht.
Jochen	Haben Sie Lust, mit mir ins Theater zu gehen? Es gibt *Mutter Courage*.***
Jutta	Schön. Und wo treffen wir uns?
Jochen	Vielleicht kann ich Sie abholen . . .
Jutta	Ja. Wann sind Sie da?
Jochen	Sagen wir, um zwanzig vor acht?
Jutta	Gut. Bis heute abend dann. Tschus!

haben Sie heute abend schon etwas vor?	are you doing anything this evening?
noch nicht	not yet
haben Sie Lust . . . ?	would you like . . . ?

*** *Mother Courage*—play by Bertolt Brecht

7   *Am Telefon*

Frau Droste   Guten Tag! Hier ist Frau Droste. Könnte ich bitte Frau Sander sprechen? . . . Danke schön . . . Hier ist Gabi! Ich kann leider nicht kommen . . . Nein, ich muss noch einkaufen und zum Zahnarzt. Könnten wir uns morgen treffen? . . . Ja, gut! Wo treffen wir uns? . . . Im Café Schucan, gut! Und wann? . . . Gut, dann treffen wir uns um halb vier. Fein! Also bis morgen! Tschüs!

Übungen

1 Was wollen wir machen?

Wollen wir . . . . gehen?
Tanzen? Ja, im Crazy Horse.

Wollen wir . . . . gehen?
Ach, ins Theater? Da ist doch nichts Interessantes.

Wollen wir . . . . trinken?
Ein Bier trinken? Ja, vielleicht im Eden Salon.

Wollen wir . . . . gehen?
Schwimmen? Hier kann man nicht schwimmen. Es gibt kein Schwimmbad.

Wollen wir . . . . gehen?
In die Oper? Ach, ich weiss nicht so . . . .

Wollen wir . . . . ?
Ja, spazierengehen kann man auf der Promenade oder im Stadtpark.

Wollen wir . . . . spielen?
Minigolf spielen? Das kann ich nicht.

Wollen wir . . . . gehen?
Zum Fussball? Ja, Klasse! Borussia Dortmund spielt gegen Real Madrid.

Wollen wir . . . . machen?
Eine Stadtrundfahrt? Nee, das ist zu teuer.

Wollen wir . . . . fahren?
Ins Grüne fahren? Ja, haben Sie denn ein Auto?

2 You can answer with either phrase:

> Ja, das geht.
> Nein, das geht leider nicht.

But remember you can only have one appointment at a time!

Wollen wir uns Montag um 3 Uhr treffen?   *Antwort:* . . . .
Wollen wir Dienstag um 14 Uhr schwimmen gehen?   . . . .
Wollen wir Montag ein Bierchen trinken gehen? Gegen 20 Uhr?   . . . .
Wollen wir Dienstag mittag um 2 eine Stadtrundfahrt machen?   . . . .
Wollen wir Montag einen Kaffee zusammen trinken—gegen 15 Uhr?   . . . .
Wollen wir Mittwoch gegen 22 Uhr ins Crazy Horse gehen?   . . . .
Wollen wir Donnerstag morgen um 10 Tennis spielen?   . . . .
Wollen wir Mittwoch um 21 Uhr in den neuen Chabrol Film gehen?   . . . .
Wollen wir Donnerstag nach dem Frühstück in die Stadt fahren?
    So gegen 10 Uhr?   . . . .

Wollen wir Freitag abend zusammen essen gehen—so gegen 20 Uhr? . . . .

Wollen Sie Samstag um 4 zum Tee kommen? . . . .

Wollen Sie Montag um 4 zum Tee kommen? . . . .

Wollen wir Samstag um 16 Uhr in den Zirkus gehen? . . . .

Wollen Sie Samstag gegen 21 Uhr zu uns kommen? . . . .

Wollen wir Sonntag früh gegen 6 auf den Fischmarkt gehen? . . . .

Können wir am Samstag abend zu Ihnen kommen? . . . .

O, wie schade!

3 Wann treffen wir uns?

There are three different starting points marked *
Follow the arrows and make up different conversations.

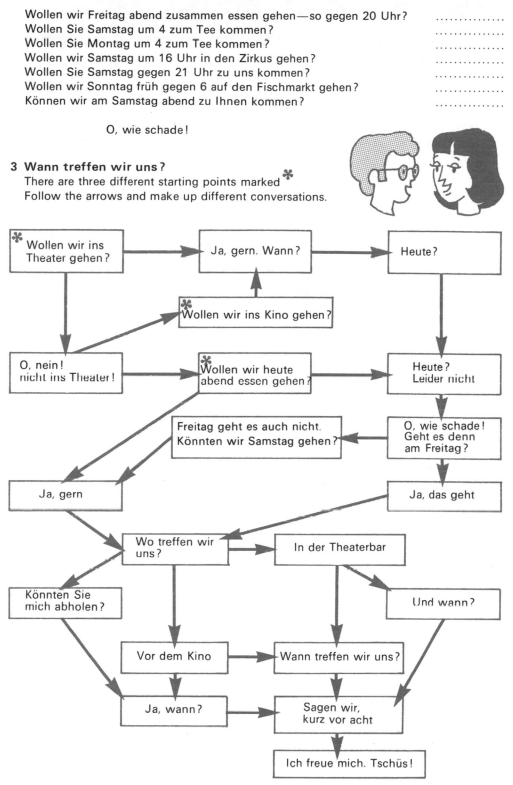

Überblick

How to make an appointment:

Ich möchte (gern)	einen Termin
Ich möchte (bitte)	zu Herrn Doktor

—and ask when you can come:

Könnte ich jetzt drankommen?
Wann kann ich kommen?

Kann ich	um 10 Uhr heute nachmittag morgen früh am Freitag nächste Woche	kommen?	Heute geht es nicht mehr Um acht? Möchten Sie lieber vormittags kommen, oder nachmittags? Ist Ihnen Donnerstag 10.30 Uhr recht?

How to ask if someone is free:

Haben Sie	heute abend morgen	etwas vor?	Nein Bis jetzt noch nicht Leider, ja

Arranging to meet:

Wollen wir	essen zu Pinkus Müller ins Theater	gehen?	Ja, das geht Gute Idee! Ich komme gern mit

Nein, das geht Heute geht es	leider nicht	

Where to meet:

Wo	treffen wir uns? wollen wir uns treffen?	Vor dem Kino Im Café Schucan Vielleicht kann ich Sie abholen?

—and when:

Wann? Wann wollen wir uns treffen? Um wieviel Uhr?	Gegen sieben Kurz vor acht Sagen wir, um zwanzig vor acht

Bis heute abend dann!
Also, bis morgen!
Ich freue mich!

Lesen und Verstehen

Was wollen wir machen?

Treffpunkte

Where will you find 68-year-olds with
well-developed muscles?
Where can you have a good chat and sip
a charming little wine?
What do you do when there are so many
things you could do?
Where do you think the wives are while
the men talk politics?
When do you keep changing direction?
Do you think they'll ever stop talking?
(Perhaps when there's no-one around!)

Was wir immer machen. Sehen Sie mal, meine Muskeln! Hier und hier. Gut
durchtrainiert, was? Was glauben Sie, wie alt ich bin? Wie alt bin ich? 68! Und sehen
Sie mal meine Frau. Komm mal, Elly. Meine Frau trainiert auch mit. Meine Frau hat 13½ Kilo
verloren, 13½ Kilo in einem Jahr! Komm doch mal, Elly. (Treffpunkt: Trimm Dich Pfad,
Segelklub, Hockeyklub, Handballklub, Schwimmverein, Radtour, Body building, Karate.)

Ach, na ja, mal nett sitzen, nett essen, nett unterhalten, nettes Weinchen dazu trinken,
'n bisschen nette Musik hören, nette Atmosphäre. Ach, na ja, und mal nicht kochen
müssen. (Treffpunkt: Restaurant, Weinstube, kleines Hotel, bei *ihm* zu Hause.)

Ich weiss nicht, was. Man kann doch so viel machen, so viel. Wir können gar nicht alles
machen, was man machen kann. Sagen Sie, was. Was möchten Sie machen? Wir machen,
was Sie möchten. Nein, nicht was ich möchte, was Sie mochten! Sie! Ich? Ich weiss
doch nicht, was Sie möchten. Ich weiss doch nicht, was ich . . . Ich möchte, was Sie
möchten. Also was möchten Sie?! (Treffpunkt?)

Ja, zusammensitzen und spielen. Wer alles da ist? Ja, der Helmut Lotz, der Hülsemann
(Dr. Hülsemann), der Dodenhöft, der Steingass, der Müller (Erich Müller). Wer ist denn
noch da? Frauen?! Neeeee, die bleiben zu Hause. Keine Frauen, nur Männer, Männer
mit den gleichen Idealen, ja, ja. Ja, über Politik reden wir auch. Ja, und Bier trinken wir,
so sechs Bier pro Mann. Und ein, zwei kleine Schnäpschen. (Treffpunkt: Stammtisch,
Skatrunde, Rommékclub.)

Da ram da di da da tra lalilala . . . da ram da di . . . ach bitte! . . . da tra lila . . . und
jetzt links drehen . . . tra lali lala . . . und rückwärts seit dada di dum und vorwärts seit
da da di dam . . . aber warum denn nicht? da ram di ram . . . und zusammen bitte. Bitte!
tram tram tri, nein, drehen, drehen . . . lalali . . . ach, dann eben nicht! Dann frage ich
eben Jörgi! da ram di rara . . . So was Doofes! (Treffpunkt: Diskothek, Tanzlokal,
Tanzschule.)

Diskutieren. Unsere Situation kritisch, ich sage kri-tisch analysieren. Dann kann man
auch effektiv argumentieren und die relevanten Faktoren kategorisieren. Dann kann die
Diskussion beginnen. Dann können wir unsere theoretische Basis definieren und unsere
Strategie fixieren und vielleicht, vielleicht an Aktion denken. Denn man kann ja nicht
immer nur diskutieren. Haben Sie Zeit? (Treffpunkt: Politische Arbeitsgemeinschaft,
Women's Lib Gruppe, Fussballklub.)

Spazieren gehen, auf einer Bank sitzen, ins Wasser gucken, Enten füttern, ein Eis essen.
Vielleicht uns küssen, wenn gerade niemand kommt. (Treffpunkt: Stadtpark, botanischer
Garten, Promenade.)

Frau Kisnat talks about her rummy club and places where her children meet their friends.

Frau Kisnat belongs to a choir and a rummy club. What is her third hobby?
Does the rummy club meet in the same house each time?
Are husbands allowed to play in the club?
How do you know the ladies are figure-conscious?
How often do they have an afternoon out with the money from the kitty?
Where does Frau Kisnat's twelve-year old son play table tennis?

Karola	Frau Kisnat, was machen Sie in Ihrer Freizeit?
Frau Kisnat	Ich habe einige Hobbies. Ich singe sehr gern, ich bin in einem Chor, ich arbeite gern im Garten, ich liebe Blumen, und ich bin in einem Romméklub.
Karola	Wieviele Leute sind denn in Ihrem Klub?
Frau Kisnat	Vier Damen.
Karola	Wie oft treffen Sie sich?
Frau Kisnat	Alle vierzehn Tage.
Karola	Und wann?
Frau Kisnat	Nachmittags fünfzehn Uhr bis abends zwanzig Uhr.
Karola	Und wo treffen Sie sich?
Frau Kisnat	Wir treffen uns in unseren Häusern, jedesmal in einem anderen Haus.
Karola	Ihre Männer, dürfen die auch mitspielen?
Frau Kisnat	Nein! Die dürfen uns nur abholen, und die Kinder dürfen uns auch nicht stören. Wir spielen Rommé, wir trinken Kaffee, manchmal ein Glas Wein, oder einen Wacholder. Wir essen Schnittchen, Salate—nur keinen Kuchen, wegen der Figur!
Karola	Spielen Sie um Geld?
Frau Kisnat	Und ob! Sogar sehr hart! Das Geld geht in eine Kasse, und einmal im Jahr nehmen wir das Geld aus der Kasse und machen uns einen schönen Nachmittag. Wir machen eine Wanderung. Wir gehen in ein Gartenlokal, wir trinken Kaffee. Wir trinken auch mal ein Glas Wein und sind sehr lustig.
Karola	Haben Sie Familie?
Frau Kisnat	Ja, ich habe vier Söhne. Sie sind einundzwanzig, vierzehn, zwölf und acht Jahre alt.
Karola	Wo treffen sie sich mit ihren Freunden?
Frau Kisnat	Der Älteste ist aktiver Fussballer. Er trifft sich im Sportheim und in den Trainingsstunden mit seinen Freunden. Mein zweiter Sohn ist in einem Jugendklub.
Karola	Und wo trifft Ihr dritter Sohn sich mit seinen Freunden?
Frau Kisnat	Die Freunde kommen ins Haus. Sie spielen im Keller Tischtennis.
Karola	Und was macht der Kleinste?
Frau Kisnat	Der fährt draussen Fahrrad, besucht Freunde oder bringt auch welche mit.

It's worth knowing

There is no National Health Service in West Germany, but under the EEC Social Security Regulations, British travellers can obtain free medical treatment as in Britain.

Before going to Germany complete form CM1 obtainable from any local office of the Department of Health and Social Security, or from the Employment Exchange. You will be sent form E111 which is vital should you need medical treatment abroad.

In case of illness in Germany you should take this form to the **Allgemeine Ortskrankenkasse**—the local branch of one of the major health insurance companies. More than 90% of all Germans are insured with such organisations—most of them compulsorily. You will find the address in the telephone directory.

The insurance company will give you the usual sickness document—the **Krankenschein** —which entitles you, as it does every insured person, to free medical treatment from any doctor and dentist operating within the insurance scheme. One of the first things a doctor's receptionist will want to know is whether you have a **Krankenschein** or whether you come as a private patient—which is not exactly cheap.

Should you need a doctor before you've had a chance to get your **Krankenschein**, show him the E111 form. He will have to charge you for treatment, but will refund your money if you show him the **Krankenschein** within 10 days.

If you need to go into hospital, you must first get a certificate to this effect from a doctor, and take this, with your E111, to the **Allgemeine Ortskrankenkasse**. They will give you a **Kostenübernahmeschein** which you take to the hospital authorities.

If you have to enter hospital urgently, and are therefore unable to contact the health insurance office, give the E111 to the hospital authorities who will obtain the **Kostenübernahmeschein** for you.

O	**Allgemeine Ortskrankenkasse** **Hamburg**	**R**	Kalendervierteljahr der Gültigkeit 1. 1. — 31. 3. 1974
Krankenschein **für kassenärztliche Behandlung** Dieser Krankenschein gilt - falls nicht im oberen rechten Feld ein bestimmtes Kalendervierteljahr eingetragen ist - für das Kalendervierteljahr, in dem er ausgestellt worden ist.		Abrechnungsstelle: KV Hamburg Nr. **02**	eine eventuell kürzere Gültigkeit ist hier zu vermerken:

Herrn/Frau/Fräulein

Leo Müller 100137
2 Hamburg
Eisenbahnstrasse 18

Zur Beachtung für den Versicherten!

Falls die Krankheit durch einen **Unfall** verursacht worden ist, teilen Sie uns dies bitte sofort mit.

Bei Kassenwechsel wird der Krankenschein sofort ungültig.

How to talk about what you enjoy

| ich | schwimme
lese | gern |

| ich | höre
mag | gern Musik |

1 *Corinna* Haben Sie ein Hobby?
  Herr Steingass Ich habe ein Hobby, selbstverständlich! Ich fahre Rad und schwimme sehr gern.

2 *Dieter* Ja, und was machen Sie in Ihrer Freizeit? Haben Sie ein Hobby?
  Frau Silling Ich fahre mit dem Fahrrad 'raus, male gern, photographiere gern und gehe sehr gern schwimmen.

3 *Corinna* Was tun Sie gern?
  Student Ich lese gerne.
  Corinna Wieviele Stunden am Tag lesen Sie?
  Student Ich lese 8 bis 10 Stunden am Tag.

4 *Frau Brackmann* Ich höre sehr gern Musik, ich lese sehr gerne, reite sehr viel.
  Dieter Und wie oft in der Woche reiten Sie?
  Frau Brackmann Vier- oder fünfmal in der Woche.

ich schwimme sehr gern	I like swimming very much
ich höre sehr gern Musik	I like listening to music very much
vier- oder fünfmal in der Woche	four or five times a week

5 *Studentin* Ich höre gern Musik.
  Corinna Was für Musik hören Sie gern?
  Studentin Ich höre gern englische Musik, amerikanische Musik, Popmusik.
  Corinna Tanzen Sie gern?
  Studentin Ich tanze auch gern, ja.
  Corinna Wie oft gehen Sie tanzen?
  Studentin Einmal in der Woche.
  Corinna Und wo gehen Sie tanzen?
  Studentin In einer Diskothek.

6	Frau Kisnat	Ich habe einige Hobbies. Ich singe sehr gern, ich bin in einem Chor, ich arbeite gern im Garten, ich liebe Blumen, und ich bin in einem Rommeklub.
7	Herr Fuhrmann	Ja, ich habe mehrere Hobbies. Ich höre gern Musik, ich spiele auch selbst Gitarre, und ich leite ein kleines Mandolinenorchester.
8	Dieter	Ich mache gerne Tonbandaufnahmen, höre gerne Popmusik und bin Funkamateur.
9	Studentin	Ich fahre gerne Auto und ich koche gern.
	Corinna	Fahren Sie gern schnell?
	Studentin	Ja, ich fahre gerne schnell.
	Corinna	Ist ein Auto nicht ein teures Hobby?
	Studentin	Ja, der Mini ist nicht ganz so teuer hier in Deutschland.
	Corinna	Und was kochen Sie gern?
	Studentin	Ich koche gerne Paprikagemüse, ich koche gerne mit Käse.
	Corinna	Kochen Sie mit Knoblauch?
	Studentin	Nein, gar nicht.
10	Frau Stegmann	Ja, ich mag sehr gerne Musik, ich singe gerne, ich spiele Gitarre, Geige, Blockflöte . . .
	Karola	Was für Musik mögen Sie gern?
	Frau Stegmann	Ich mag sehr gerne Volkslieder und alte Musik, auch die alten englischen Komponisten, Dowland und Purcell.
11	Karola	Was sind denn Ihre Hobbies?
	Martin	Ja, meine Hobbies sind etwas untypisch. Ich photographiere gern, ich interessiere mich für Elektronik. Aber Fussball mag ich gar nicht!
	Karola	Was photographieren Sie gern?
	Martin	Alles mögliche, Blumen, Menschen und Tiere.
	Karola	Und was machen Sie in der Elektronik?
	Martin	Zum Beispiel baue ich gerne Radios und Verstärker.
	Karola	Kostet das viel Geld?
	Martin	Nein, das kostet nicht viel.

gar nicht   not at all
alles mögliche   all sorts of things

12	Rolf	Und was wollen wir nach dem Essen machen?
	Britta	Ja . . . Ich weiss nicht!
	Rolf	Wollen wir ins Kino gehen?
	Britta	Was für ein Film läuft?
	Rolf	Ein Western.
	Britta	Ach nee, ich mag Western nicht so gern!
	Rolf	Mögen Sie Musik?
	Britta	Ja, sehr gern.
	Rolf	Wollen wir tanzen gehen?
	Britta	O ja!
	Rolf	Einverstanden!
13		P.S.
	Karola	Herr Klein, was machen Sie in Ihrer Freizeit? Haben Sie ein Hobby?
	Herr Klein	Ja, meine Frau und meine Kinder!

Übungen

1 Was tun Sie gern? Say what you like and don't like doing.

Lesen Sie gern?	Ja, ich lese gern. Nein, ich lese nicht gern.

Photographieren Sie gern? ....

Schwimmen Sie gern? ....

Malen Sie gern? ....

Reiten Sie gern? ....

Tanzen Sie gern? ....

Kochen Sie gern? ....

Singen Sie gern? ....

Hören Sie gern Musik?	Ja, ich höre gern Musik. Nein, ich höre nicht gern Musik.

Spielen Sie gern Tennis? ....

Fahren Sie gern Auto? ....

Lesen Sie gern Kriminalromane? ....

Gehen Sie gern ins Theater? ....

If you are working with a partner, take turns at interviewing one another. You could extend the interviews to include questions about:

Popmusik	Klavier	Motorrad	ins Kino gehen
Volksmusik	Trompete	Rad	ins Konzert gehen
klassische Musik	Violine	Zeitungen	in die Oper gehen
Beat Musik	Fussball	Short Stories	ins Museum gehen
Jazz	Tischtennis	Liebesromane	

2 Was machen Sie in Ihrer Freizeit?

Fill in what A likes and what B doesn't like doing. What does B prefer to do?

A Ich .... sehr gern. *(in der See; im Freibad; im Wellenbad.)*

B Ja? Nein, ich .... nicht sehr gern. Ich wandere lieber.

A Ich .... sehr gern. *(im Reitklub, aber auch im Freien.)*

B Ja? Nein, ich .... Ich spiele lieber Tennis.

A Ich .... sehr gern. *(Zeitungen, Kriminalromane, aber auch die neue deutsche Literatur.)*

B Ja? Nein, ... Ich sehe lieber fern.

A Ich .... sehr gern. *(im Garten, im Haus, aber auch in meinem Beruf.)*

B Jaaa? Nein, ... Ich schlafe lieber.

A Ich .... sehr gern. *(Aquarelle, aber auch in Öl.)*

B Ja? Nein, ... Ich zeichne lieber.

A Ich .... sehr gern. *(Folksongs, aber auch Lieder und Arien)*

B Ja? .... Ich spiele lieber Klavier.

A Ich .... sehr gern. *(meine Kinder, meine Frau, aber auch andere Motive.)*

B Ja? .... Ich filme lieber.

A Ich .... sehr gern Süsses. *(Torte, Schokolade, Pudding.)*

B Ja? .... Ich trinke lieber—Wein und mal ein Schnäpschen!

Go through all the activities again and find out what other people like doing. If there's no one to ask, give the answers yourself according to your own tastes:

Schwimmen Sie gern?	Ja, ich schwimme sehr gern.
	Nein, ich schwimme nicht sehr gern.

In some cases you may want to say:

Ich schwimme sehr gern aber nicht sehr gut.

—or you may even have to say:

Ich kann leider nicht schwimmen.

3 Computer-Test

Decide whether you are very interested, occasionally interested, or not interested in these leisure-time pursuits. Put a cross in the appropriate box and compare the results with those of your friends. You may find your ideal partner.

(We regret we are unable to supply either the computer or the partner.)

Kreuzen Sie an, was Sie in Ihrer Freizeit gern tun. Denn Ihr Idealpartner soll die gleichen Interessen haben wie Sie.	sehr inter-essiert	manch-mal	nicht inter-essiert
aktiv Sport treiben			
Besuch von Sport-veranstaltungen			
Funk und Fernsehen: Unterhaltungssendungen			
Sendungen über Politik			
Krimis			
Musiksendungen			
Problemfilme			
Sportsendungen			
III. Programm			
Handarbeiten			
Musizieren			
ernste Musik hören			
Unterhaltungsmusik hören			
Theater-, Opernbesuch			
Tanzen			
Parties			
Diskussionen			
Wandern			
mit dem Auto spazierenfahren			
Urlaub: Sport treiben			
Faulenzen			
Museen besuchen			
Familienfeiern			

Sind Sie ledig ☐
geschieden ☐
verwitwet ☐

Sind Sie evangelisch
katholisch
oder ....

4 Mögen Sie gern Opern?   Nein, Opern mag ich nicht so gern.
Ich mag lieber Musicals.

No two people have the same tastes. What does B prefer in each case?
Work out A's questions and B's answers.

A	B
Opern	Modernes Ballett
Moderne Musik	Jazz
Science Fiction Romane	Komödien
Tragödien	Musicals
Klassisches Ballett	Krimis
Western	Historische Romane
Rock	Klassische Musik

Überblick

How to say what you do or don't enjoy:

Ich mag gern	Musik Volkslieder Western Fussball	Musik Volkslieder Western Fussball	mag ich nicht!

How to say what you do or don't enjoy doing:

Ich	schwimme photographiere lese tanze koche	gern nicht gern

Ich	höre mache fahre arbeite	gern nicht gern	Popmusik Tonbandaufnahmen Auto im Garten

Some questions you might be asked:	**You might reply:**
Was tun Sie gern?	Ich koche gern
Wie oft in der Woche reiten Sie?	Fünfmal in der Woche
Was für Musik mögen Sie?	Ich mag gern Popmusik
Wieviele Stunden am Tag lesen Sie?	Acht bis zehn Stunden am Tag
Wo gehen Sie tanzen?	In einer Diskothek

Lesen und Verstehen

Happy End Marlene Eschkötter alias Anne de Groot

Who is never alone in the moonlight?
Are Anne de Groot's heroines housewives like Mrs.
Eschkötter?
Where is it always summer?
Does Mrs. Eschkötter make mistakes when she types?
Are her heroes taller or shorter than her husband?
Who is the composer of the piano concerto
in E flat major?

Marlene Eschkötter

Der Moment ist da! Helmut Eschkötter macht die Haustür zu, Marlene Eschkötter setzt
sich an ihren Schreibtisch. Sie ist 43 Jahre alt. Sie hat einen Mann und vier Kinder.
Sie muss einkaufen wie jede Hausfrau. Sie muss waschen, kochen, saubermachen. Wie
jede Hausfrau. Aber nicht, wenn sie sich an ihren Schreibtisch setzt und schreibt.
Dann trägt sie ein weisses Kleid . . . Sie macht die Balkontür auf . . . Sie sagt: O, schau
mal der Mond! Sie ist nicht allein in der Mondnacht . . . Marlene Eschkötter alias
Anne de Groot sitzt an der Schreibmaschine und schreibt einen Roman, einen Liebesroman.

Sie hat blonde Locken und einen hellen Teint. Wie die Frauen in ihren Romanen. Und
blaue Augen hat sie auch, SO BLAU WIE DIE GROTTE IN CAPRI. Sie ist schlank und hat
eine sportliche Figur. Die Frauen im Roman sind auch schlank: WIE GAZELLEN. Sie spielen
Golf und segeln auf der Adria ins Blaue. Sie heissen Barbi, Petra, Susanne, Sylvia,
Norma, Mathilda. Am Tag tragen sie Bikinis und abends Abendkleider. Im Roman ist
immer Sommer, und Barbi und Mathilda trinken sehr oft Sekt. Sekt mit Orangensaft.

Marlene Eschkötter tippt ihren Roman auf der Maschine. Sie reflektiert. Sie tippt einen
Satz: ICH LIEBE CHAMPAGNER! SAGTE MATHILDA. Sie liest den Satz. Er gefällt ihr. Sie
reflektiert und tippt dann: GIB MIR NOCH EIN GLAS SEKT und tippt und tippt . . . Jeder
Satz ist perfekt. Jede Seite ist perfekt. Jeder Roman kommt perfekt aus der Maschine.
Sie schreibt elf Liebesromane im Jahr. (Nicht zwölf, im Dezember ist Weihnachten!)
Sie hat schon siebzig Liebesromane geschrieben: KÜSSE IM ROSENPAVILLON.
EIN GEFÄHRLICHER FLIRT. WER IST DIE FREMDE BLONDINE? ROMANZE UNTER SÜDLICHEM
HIMMEL. BARBI UND DER MILLIONÄR. HAPPY END MIT EHERING.

Die Männer der Anne de Groot heissen Robert Mackenbrock, Gerrick van Delden,
Roman Bronsky. Es sind grosse Männer, einen Kopf grosser als Helmut Eschkötter.
Männer mit Charme und Charakter. Professor Doktor Arnold Fegeler ist Professor der
Pädagogik. Vitus Uhlig ist Bildhauer. Roman Bronsky ist der Komponist des
Klavierkonzerts in Es-Dur . . . Erster Satz: *Allegro* . . . Zweiter Satz: *Allegro vivace* . . .
Dritter Satz: *Allegro molto appassionato* . . . Finale: SIE IST GLÜCKLICH, GLÜCKLICH MIT DEM
MANN, DER DIESES KONZERT FÜR SIE KOMPONIERT HAT . . . Der Roman hat ein Happy End.
Alle Romane von Marlene Eschkötter alias Anne de Groot haben ein Happy End. Zu
kaufen in Zeitungsläden, Zigarrenläden, Supermärkten und an jedem Kiosk für 1,20 DM.

Frau Stegmann talks about her musical family.

Who is at a musical high school?
Does Frau Stegmann play the piano as well as her husband and eldest son?
How many different instruments do the Stegmanns play between them?
What is it like when they all want to practise at once?
When do the neighbours think they must be ill?
Who plays in a string quartet?

Karola	Frau Stegmann, haben Sie Familie?
Frau Stegmann	Ich habe einen Mann und vier Kinder.
Karola	Wohnen alle Ihre Kinder noch bei Ihnen?
Frau Stegmann	Nein, unser ältester Sohn Martin lebt in Detmold und besucht dort ein musisches Gymnasium. Die anderen drei Kinder sind noch zu Hause.
Karola	Frau Stegmann, haben Sie ein besonderes Hobby?
Frau Stegmann	Ja, ich mag sehr gerne Musik. Ich singe gerne und spiele Gitarre, Geige, Blockflöte . . .
Karola	Spielen Sie auch Klavier?
Frau Stegmann	Ja, ein bisschen, aber nicht so gerne, denn mein Mann und mein Sohn Martin spielen viel besser.
Karola	Was für Musik mögen Sie gern?
Frau Stegmann	Ich mag sehr gerne Volkslieder und alte Musik, auch die alten englischen Komponisten, Dowland und Purcell. Durch meine Kinder mag ich auch sehr gerne Popmusik.
Karola	Mögen Ihr Mann und Ihre Kinder auch Musik?
Frau Stegmann	Die ganze Familie mag Musik sehr. Mein Mann spielt Orgel, Klavier, Cembalo, Geige, Bratsche, wenn es sein muss auch Cello. Er bläst Trompete und Posaune. Martin spielt Orgel und Kontrabass und Blockflöte. Mathias spielt gut Gitarre, Cello und Blockflöte, Marie-Louise spielt Geige und Blockflöte, und der ganz kleine Sohn flötet auch schon.
Karola	Machen Sie auch Hausmusik?
Frau Stegmann	Ja, sehr oft und sehr gerne, besonders in der Weihnachtszeit und zu Geburtstagen.
Karola	Frau Stegmann, wie ist es, wenn Sie alle auf einmal üben wollen?
Frau Stegmann	O Schreck! Vor allen Dingen laut!
Karola	Sind denn Ihre Nachbarn noch freundlich zu Ihnen?
Frau Stegmann	Ach ja. Wenn wir nicht mehr üben, denken sie, wir seien krank.
Karola	Spielen Sie gern mit Freunden?
Frau Stegmann	Ja, mein Mann und ich spielen einmal in der Woche Streichquartett. Wir spielen Streichquartette von Haydn, Beethoven, Mozart und auch Ravel, und unsere Kinder haben ihre eigene Popgruppe.

It's worth knowing

If you are a keen collector, bridge player, radio ham, cat-lover, bird-watcher, rose-grower or the like, you may be interested in some of the following addresses:

Old Books
Gesellschaft der Bibliophilen e.V.
8000 München 71
Sambergerstrasse 31
Tel. 79 53 27

Coins
Verband der Deutschen
    Münzvereine
7500 Karlsruhe
Badisches Landesmuseum
    Schloss
Tel. 26921 (19)

Old Clocks
Dt. Gesellschaft für Chronometrie
7743 Furtwangen
Ilbenstrasse 54
Tel. 76 04

Bridge
Deutscher Bridge-Verband e.V.
7500 Karlsruhe
Beiertheimer Allee 10
Tel. 2 38 16

Chess
Deutscher Schachbund
8000 München 71
Wilhelm-Busch Strasse 10
Tel. 79 79 77

Amateur Associations

Bund Deutscher Film-Amateure e.V.
5038 Rodenkirchen
Siegfriedstrasse 6
Tel. 30 12 73

Magischer Zirkel von Deutschland
Internationale Vereinigung der
Amateur- und Berufs-Zauber-Künstler
8831 Trechtlingen
Eichendorffstrasse 14
Tel. 35 74

Deutscher Amateur-Radio-Club (DARC)
    e.V.
3501 Baunatal 1
Lindenallee 6
Tel. 92004

Animals

Vereinigung der Katzenfreunde
    Deutschlands
Deutscher Katzenschutzbund e.V.
1000 Berlin 12
Knesebeckstrasse 77
Tel. 8 83 86 21

Verband deutscher Waldvögelliebhaber
    e.V.
6500 Mainz-Bretzenheim
Alfred-Mumbächer Strasse 67A
Tel. 3 52 79

Verband Deutscher Vereine für
    Aquarien- und Terrarienkunde e.V.
1000 Berlin 20
Burscheider Weg 11c
Tel. 3 83 56 35

Plants

Deutsche Dahlien- und Gladiolen
    Gesellschaft
6740 Landau
Altes Stadthaus
Tel. 1 33 52

Deutsche Kakteen-Gesellschaft e.V.
4400 Münster
Marientalstrasse 70/72

Deutsche Orchideen-Gesellschaft e.V.
6520 Worms
Lutherring 19
Tel. 37 28

Deutsche Rhododendron-Gesellschaft e.V.
2800 Bremen 33
Marcusallee 60
Tel. 44 92 (34 24)

Verein Deutscher Rosenfreunde e.V.
7570 Baden-Baden
Hans-Thoma-Strasse 8
Tel. 2 38 34

Welche Grösse tragen Sie?

How to say you like something

der	
die	gefällt mir (gut)
das	
die gefallen mir (gut)	

1	Friseuse	(finishing hair-do) Gefällt es Ihnen so?	**Beim Friseur**
	Frau Brackmann	Ja, es gefällt mir gut.	

2	Elke	(trying on a dress) O ja! Das Kleid gefällt mir! Das nehme ich.	**In einer Boutique**
	Astrid	(looking at bracelets) Ah, diese Armreifen gefallen mir! (choosing one) Den nehme ich.	

3	Barbara	(to bystanders listening to brass band) Entschuldigen Sie bitte, gefällt Ihnen die Musik?	**Auf der Strasse**
	Frau	Sehr gut sogar! Blasmusik mag ich immer gerne.	
	Barbara	Entschuldigen Sie bitte, gefällt Ihnen die Musik?	
	Mann	Ja, die gefällt mir gut.	

4	Verkäuferin	Guten Tag! Was darf es sein, bitte schön?	**Herrenmoden**
	Dieter	Ich möchte gerne einen Pullover kaufen.	
	Verkäuferin	Sollte es ein Hemdenpullover sein oder ein Pullover mit Rollkragen?	
	Dieter	Ich möchte gerne einen Hemdenpullover.	
	Verkäuferin	Welche Grösse tragen Sie?	
	Dieter	Ich trage Grösse 46.	
	Verkäuferin	Welche Farbe sollte es sein?	
	Dieter	Haben Sie einen in Blau oder in Braun da?	
	Verkäuferin	Hier wäre ein Pullover in Braun.	
	Dieter	Ja, der ist schon sehr gut. Haben Sie diese Art in Blau?	
	Verkäuferin	Hier ist ein Pullover in Blau.	
	Dieter	Ja, der gefällt mir sehr gut.	
	Verkäuferin	Ja, er ist sehr modisch.	
	Dieter	Was kostet dieser Pullover?	
	Verkäuferin	Dieser Pullover kostet 68 DM.	
	Dieter	Das ist auch sehr preiswert. Den nehme ich.	

hier wäre . . .	here for example is . . .
der ist schon sehr gut	that one's rather nice
der gefällt mir sehr gut	I like it very much

5	*Verkäuferin*	Kann ich Ihnen helfen?	**Damenmoden**

5 | *Verkäuferin* | Kann ich Ihnen helfen?   **Damenmoden**

Verkäuferin   Kann ich Ihnen helfen?   **Damenmoden**

5 *Verkäuferin* Kann ich Ihnen helfen?   **Damenmoden**
Frau Wagner Ich möchte einen Mantel kaufen, einen leichten Mantel.
Verkäuferin Welches Material?
Frau Wagner Popelin.
Verkäuferin Und welche Farbe?
Frau Wagner Blau oder Grün.
Verkäuferin Und welche Grösse?
Frau Wagner Grösse 40.
Verkäuferin Ja . . . (brings her a navy coat)
Frau Wagner Kann ich den anprobieren?
Verkäuferin Ja, gern. (helps her on with coat)
Frau Wagner Der ist zu gross. Haben Sie diesen Mantel eine Nummer kleiner?
Verkäuferin Ja. (fetches a smaller size) Gefällt er Ihnen?
Frau Wagner Ja, der gefällt mir gut. Könnten Sie mir noch einen anderen Mantel zeigen?
Verkäuferin Gern. (brings a green check coat—Frau Wagner tries it on) Gefällt er Ihnen?
Frau Wagner Der gefällt mir sehr gut. Was kostet der?
Verkäuferin 218 DM.
Frau Wagner Den möchte ich kaufen.

6 *Karola* Ich möchte gerne eine Bluse kaufen.
Verkäuferin An welches Material hatten Sie gedacht?
Karola An Batist.
Verkäuferin Und welche Farbe sollte es sein?
Karola Rot oder Rosa.
Verkäuferin Und welche Grösse tragen Sie?
Karola Grösse 40.
Verkäuferin Da hätte ich hier eine sehr schöne Bluse in Rot.
Karola Die gefällt mir nicht besonders.
Verkäuferin Dann wäre hier eine in Rosa mit einem sehr schönen Kragen.
Karola Die ist sehr hübsch. Die gefällt mir. Was kostet diese Bluse?
Verkäuferin Diese Bluse kostet 38 DM.
Karola Ja, ist gut. Kann ich sie einmal anprobieren?
Verkäuferin Bitte schön. Wenn Sie in die Kabine gehen wollen.
Karola Danke. (they go to fitting room)
Verkäuferin Wie gefällt Ihnen die Bluse?
Karola Die Bluse gefällt mir sehr gut. Sie ist sehr hübsch. Die kaufe ich.

an welches Material hatten Sie gedacht?	what material were you thinking of?

7 *Sabine* Ich möchte bitte einen Lippenstift.   **Kosmetika**
Verkäuferin Vielleicht ein dunkles Rot? (showing her a dark red)
Sabine Nein, das ist mir zu dunkel.
Verkäuferin Ist zu dunkel . . . (shows her another shade)
Sabine Nein, das ist mir auch zu dunkel.
Verkäuferin Noch zu dunkel. Vielleicht ein helleres Rot?
Sabine Ja, das gefällt mir!
Verkäuferin Ist gut.
Sabine Den nehme ich.

Talking about food

es schmeckt mir gut

8

Gisela	Essen Sie gern in der Kantine?
Berndt	Ich esse gern in der Kantine, wenn das Essen gut ist.
Gisela	Ist das Essen meistens gut?
Berndt	Zum grössten Teil, ja.
Gisela	Was essen Sie gerade?
Berndt	Kabeljaufilet.
Gisela	Wie schmeckt es Ihnen?
Berndt	Sehr gut.
Gisela	Was essen Sie?
Doris	Ich esse Fisch, ich glaube das ist Kabeljau.
Gisela	Schmeckt es Ihnen?
Doris	O ja, es schmeckt mir sehr gut, sehr gut.
Gisela	Was essen Sie?
Jutta	Ich esse gerade Pudding—Götterspeise.
Gisela	Schmeckt es Ihnen?
Jutta	Och, mir schmeckt es . . . Ja, es geht!

Übungen

1 Gefällt es Ihnen?

das Kleid

die Krawatte

die Bluse

das Hemd

die Ketten

die Schuhe

die Tasche

die Hose

der Rock

der Bikini

die Handschuhe

der Anzug

der Mantel

Say whether you like, or don't like, these items of clothing. If you are working with a partner, take turns at asking the following questions:

Gefällt Ihnen | der .... ?
| die .... ?
| das .... ?

Ja, | der
| die | gefällt mir.
| das

Nein, | der
| die | gefällt mir nicht.
| das

Gefallen Ihnen die .... ?

Ja, die gefallen mir.
Nein, die gefallen mir nicht.

Go over the items again, this time varying the degree of your like or dislike, using:

gut   nicht besonders
sehr gut   gar nicht

2 Who says what?

Ich möchte einen Pullover kaufen.

Welche Farbe?

Beige oder Braun.

Haben Sie Jeans?

Welche Farbe?

Blau, bitte.

Ich möchte ein Abendkleid kaufen.

Welche Farbe?

Grün, bitte.

Now sort out which of these sentences belong to which customer:

Was kostet der?

Die sind mir zu teuer!
Haben Sie etwas Billigeres?

Haben Sie eine Nummer grösser?

Grösse 40.

Kann ich den bitte anprobieren?

Ja, die nehme ich.

Was kosten die?

Haben Sie eine Nummer kleiner?

Grösse 44.

Den nehme ich.

Was kostet das?

Kann ich die anprobieren?

Der ist schon sehr gut.
Haben Sie diese Art in Braun?

Könnten Sie mir noch ein anderes zeigen?

Ja, das gefällt mir. Es ist sehr elegant.

Das gefällt mir gar nicht.

Das nehme ich.

Der ist zu klein.

Kann ich das bitte anprobieren?

Die sind zu gross.

Grösse 56.

Überblick

How to say you do or don't like something:

	der Pullover?	Der Pullover		gut
Gefällt Ihnen	die Bluse?	Die Bluse	gefällt mir	
	das Kleid?	Das Kleid		nicht
Gefallen Ihnen die Armreifen?		Die Armreifen	gefallen mir	

	er		Der		gut
Gefällt	sie	Ihnen?	Die	gefällt mir	
	es		Das		nicht
Gefallen sie Ihnen?			Die	gefallen mir	

—but talking about food:

Schmeckt	es Ihnen?	Es schmeckt mir	gut
Wie schmeckt			nicht

Shopping for clothes:

You will need to say your size:

Welche Grösse? Grösse 40

—and give some details about what you want:

Welche Farbe? Rot oder Rosa
Welches Material? Popelin

You might want to ask:

	den	
Kann ich	die	anprobieren?
	das	

	diesen Mantel		kleiner?
Haben Sie	diese Bluse	eine Nummer	
	dieses Kleid		grösser?

Stadtrundfahrt Ein innerer Monolog

Isn't it a bit late for saying 'Guten
Morgen!'?
Where are the prices a bit steep?
How old is the lady with the chocolates?
What is neither fish nor fowl?
Who must have been cold in the castle?
Who keeps making that crackling noise?

Na, ich sitze. Fensterplatz. Mein Hut? Ja, ist da. Kein Mann? Eins, zwei, drei . . . drei,
vier, fünf . . . sechs, sieben . . . Wo die Männer alle sind? Acht, neun, zehn . . . ah doch
zwei Männer, doch zwei Männer. Witwer, oder? . . . zehn, elf . . . aber wir Frauen leben
doch länger! SCHÖNEN GUTEN MORGEN MEINE DAMEN UND HERREN . . . schönen guten Morgen
ist gut! hahaha! Es ist schon elf Uhr dreizehn, nein, elf Uhr vierzehn—elf Uhr und
vierzehn Minuten . . . netter Junge am Mikrophon, nett, gute Manieren, ja . . . Huch! der
Bus . . . aber zum Mittagessen möchte ich wieder zu Hause sein. PRINZIPALMARKT . . . hm,
ja, gothische Fassaden, ja, hat Stil . . . RATHAUS . . . wo ist das Rathaus? Rechts? Geht
schon los: rechts links rechts links wie beim Tennis. EINKAUFSZENTRUM SALZSTRASSE . . .
schön, keine Autos, aber gesalzene Preise. Gesalzene Preise in der Salzstrasse, hihihi . . .
5 DM für eine Stadtrundfahrt! Auch gesalzen! 2 DM ja, aber 5? . . . DER DOM? Wo?
Wo, mein Junge? 5 DM und ich kann den Dom nicht sehen . . . Oooooooo, die hat
Schokolade! Wie heissen die? E-li-vi-a Schokoletten, na ja . . . Die ist auch Witwe . . .
75 Jahre? Frauen leben aber doch länger als Männer . . . steht in jeder Statistik!
STADTTHEATER? Ich kann jetzt nicht . . . autsch, mein Kopf! Na ja, wie alle Theater—
Schwimmbad und Kulturtempel in eins, nicht Fisch und nicht Fleisch . . . und unter
10 DM kein Platz . . . ja, oder man kann nichts sehen, wie ich in *La Traviata!* nix, nix,
absolut nix die ganze *Traviata* . . . da ist er ja, DER DOM . . . schön, ja . . . Spiru . . .
Spiriti na, Spi-ri-tu-elles Zentrum der Stadt . . . Was Junge? Der redet und redet in sein
Mikrophon . . . aber nett, nett . . . Wo ist das SCHLOSS? . . . Von wem ist das Schloss?
Von Johann Conrad Schlaun . . . ein Schloss von Schlaun. Schloss von Schlaun . . .
Schloss von . . . Fischers Fritz fischt frische Fische . . . schneller! Frischers Fitz frischt
fische Fri . . . Kaiser Wilhelm im Schloss? So, na . . . da war es noch schön . . . aber kalt
war es, kalt . . . Der ALTE ZOO? Wo . . . ? Ach, Junge! Das ist ja wie beim Militär: rechts
links rechts . . . ein Elefantenhaus direkt an der Strasse, pffff . . . ! so ein kleines Haus
für einen grossen Elefanten . . . vielleicht elastisch, das Haus . . . elastische Häuser!
Pfffff das ist gut! . . . Elastische Krankenhäuser . . . dann haben sie mehr Betten . . .
elastische Friedhöfe, pfffff . . . ! LANDESBANK hm! Die haben Geld . . . ganzes Haus voll
Geld . . . knister, knister, knister . . . die mit ihren Schokoletten . . . ! Eins zwei drei vier
fünf sechs sieben acht neun: neun Hüte im Bus! DER AASEE . . . hm, hübsch. Eins zwei
drei vier fünf sechs sieben acht neun zehn: zehn Brillen im Bus. In *einem* Bus zehn
Brillen! Wo, junger Mann? Wo? MODERNSTES KLINIKUM EUROPAS? . . . der Bus fährt viel zu
schnell, rechts links rechts links . . . alte Frau ist doch kein Schnellzug! Links? bitte sehr
. . . DER GASOMETER? Pffff, der Mann hat Ideen! Stadtrundfahrt inklusive Gasometer . . .
und dafür 5 DM . . . also nee, neeee . . . und kein Gas im Gasometer . . . nee, neeee . . . ich
mach mal 'ne kleine Pause . . . Augen zu, so . . . Ludgeri Platz . . . Ludgeri Strasse . . .
Ludgeri Kirche . . . Ludgeri Apotheke . . . Ludgeri . . . Ledguri . . . Led . . . gu . . . gu . . . . . .

Some opinions about England from Herr Klein and some opinions about Germany from his English wife.

What does Herr Klein think of English people?
What doesn't he like about English pubs?
Does Herr Klein think German husbands help as much in the home as English husbands?
What does Frau Klein particularly like in Germany?
What does she disapprove of?

Karola	Herr Klein, Sie sind verheiratet?
Herr Klein	Ja. Ich bin seit sieben Jahren verheiratet. Ich habe zwei Töchter, und meine Frau ist Engländerin. Meine Frau kommt aus Brighton.
Karola	Fahren Sie oft nach England?
Herr Klein	Ja, jedes Jahr zumindest einmal.
Karola	Was gefällt Ihnen besonders gut in England?
Herr Klein	Da sind zunächst die Menschen. Sie sind nett, freundlich und hilfsbereit. Da ist die gute Disziplin auf der Strasse und schliesslich die Abendzeitung.
Karola	Und was gefällt Ihnen nicht so gut?
Herr Klein	Da ist zuerst der Service—im Hotel, im Restaurant und im Geschäft. Und dann, dass die Gaststätten so früh schliessen, und dass man keine Kinder mitnehmen darf.
Karola	Schmeckt Ihnen das englische Bier?
Herr Klein	O Gott, o Gott—nein!
Karola	Schmeckt Ihnen das englische Essen?
Herr Klein	Ja und nein.
Karola	Was schmeckt Ihnen?
Herr Klein	'Roast beef' und 'Yorkshire pudding', und natürlich 'fish' und 'chips' aus der Zeitung.
Karola	Und was schmeckt Ihnen nicht?
Herr Klein	Gemüse ohne Sossen, und natürlich die Würste.
Karola	Herr Klein, wie englisch ist Ihr Leben?
Herr Klein	Ich helfe viel mehr im Haus als ein deutscher Ehemann, unser Sonntag ist englischer, und wir haben keine deutschen Federbetten. Ich glaube, es ist sehr englisch.
Karola	Möchten Sie gerne in England leben?
Herr Klein	Mit meinem deutschen Einkommen möchte ich gerne in England leben.
Karola	Frau Klein, gefällt es Ihnen hier in Münster?
Frau Klein	Ja, es gefällt mir sehr gut.
Karola	Was vermissen Sie am meisten?
Frau Klein	Meinen englischen Tee und natürlich meine Familie.
Karola	Was gefällt Ihnen besonders hier in Deutschland?
Frau Klein	Die vielen schönen Kuchen und Sahnetorten.
Karola	Und was gefällt Ihnen nicht?
Frau Klein	Dass die Deutschen nicht Schlange stehen! 'Queueing' ist hier unbekannt!

It's worth knowing

Clothes

Measurements relating to size numbers vary from country to country and from manufacturer to manufacturer. The following is the nearest comparison of sizes we are able to give.

Women	UK	Germany
Dresses, coats, etc.	10	36
	12	38
	14	40
	16	42
	18	44
Stockings, tights	$8-8\frac{1}{2}$	1
	$9-9\frac{1}{2}$	2
	$10-10\frac{1}{2}$	3
Shoes	$4\frac{1}{2}$	37
	$5-5\frac{1}{2}$	38
	6	$38\frac{1}{2}$
	$6\frac{1}{2}$	39
	7	40

Men	UK	Germany
Suits	36	44
	38	46
	40	48
	42	50
	44	52
	46	54
	48	56
Shirts	14	35–36
	$14\frac{1}{2}$	37
	15	38
	$15\frac{1}{2}$	39
	16	40–41
	$16\frac{1}{2}$	42
Shoes	$6\frac{1}{2}$	39
	$7-7\frac{1}{2}$	40
	8	41
	$8\frac{1}{2}$	42
	$9-9\frac{1}{2}$	43
	$10-10\frac{1}{2}$	44

Inches to centimetres
(1 inch equals 2.54 centimetres)

26"	66.04 cm.	38"	96.52 cm.
28"	71.12 cm.	40"	101.60 cm.
30"	76.20 cm.	42"	106.60 cm.
32"	81.28 cm.	44"	111.76 cm.
34"	86.36 cm.	46"	116.84 cm.
36"	91.44 cm.	48"	121.92 cm.

19 NEUNZEHN
O je! Das sind meine!

What to say when you've lost something, left something behind

| ich habe | meinen Schirm
meine Sonnenbrille
mein Portemonnaie
meine Handschuhe | verloren
vergessen |

| habe ich | ihn
sie
es
sie | hier liegenlassen? |

1 Im Fundbüro

Herr Pieper Ich heisse Pieper. Ich habe meinen Schirm verloren.
Angestellter Wann haben Sie den Schirm verloren?
Herr Pieper Das ist drei Tage her.
Angestellter Und wo haben Sie den Schirm verloren?
Herr Pieper Auf dem Prinzipalmarkt.*
Angestellter Wie sah der Schirm denn aus?
Herr Pieper Der Schirm ist schwarz und hat eine Holzkrücke.
Angestellter Dann wollen wir mal nachsehen, ob der Schirm da ist.

* the main street in Münster

das ist drei Tage her — it was three days ago
wie sah der Schirm denn aus? — what did the umbrella look like?

2 Beim Friseur

Frau Karpisch Ich habe meine Sonnenbrille verloren. Habe ich sie vielleicht hier liegenlassen?
Herr Lambrecht War das gestern?
Frau Karpisch Ja.
Herr Lambrecht Ja. Frau Laumann?
Frau Laumann Ja?
Herr Lambrecht Würden Sie bitte die Brille bringen?
Frau Laumann Ja, ich komme! (brings sunglasses) Bitte schön.
Frau Karpisch Ja, das ist meine.

habe ich sie vielleicht — did I leave them here
hier liegenlassen? — by any chance?

3 Im Photogeschäft*

Dieter Ich möchte gerne meine Bilder abholen.
Verkäuferin Ja. Haben Sie das Zettelchen dabei?
Dieter Ja. (giving her the ticket) Bitte schön.
Verkäuferin Danke. Ich möchte mal eben nachsehen. (finds photos) Bitte schön.
Dieter Ah ja. Danke schön. Was macht das?
Verkäuferin 14,90 DM, bitte.
Dieter Ja. (pays)

* See page 26, text No. 12

Verkäuferin	Danke. Und 10 Pfennig zurück.
Dieter	Danke schön. Ach, entschuldigen Sie, ich habe am Montag meine Sonnenbrille verloren. Haben Sie vielleicht eine gefunden?
Verkäuferin	Ja, einen kleinen Moment, bitte. Ich schaue mal eben nach. (showing him a pair of sunglasses) Ist es diese vielleicht?
Dieter	Ach, das ist sie ja! Danke schön.

ich möchte mal eben nachsehen   I'll just have a look
das ist sie ja!   that's them!

4   *Im Fundbüro*

Angestellter	Guten Tag! Bitte schön?
Bettina	Ich habe mein Portemonnaie verloren.
Angestellter	Wann haben Sie das Portemonnaie verloren?
Bettina	Gestern vormittag.
Angestellter	Und wo?
Bettina	Irgendwo auf dem Weg zur Universität.
Angestellter	Wie sah es denn aus?
Bettina	Es ist ein rotes Portemonnaie.
Angestellter	Wieviel Geld war drin?
Bettina	Ungefähr 40 DM.
Angestellter	Wollen wir mal nachsehen? (looks through collection of purses)
Bettina	Hier ist es!
Angestellter	Das ist sehr schön! (looks at tag on purse) Das ist die Nummer 1521. (looks up form in file) Es waren 39,67 DM drin.
Bettina	Das kann sein, ja. (he gives her the money) Danke sehr.
Angestellter	Dafür müssen Sie eine Gebühr von 2 DM bezahlen. Ich stelle Ihnen dafür eine Quittung aus.

ich stelle Ihnen dafür eine   I'll make you out a receipt for it
     Quittung aus

5   *In der Apotheke*

Gisela	Ich glaube, ich habe meine Tüte vergessen.
Dr. Kühnast	(bringing out bag from underneath counter) Ah, das ist *Ihre* schöne Tüte!
Gisela	Ja, bitte. Danke schön.

6   *Beim Friseur*

Dieter	Entschuldigen Sie, ich habe eben meinen Schirm vergessen. Darf ich einmal nachschauen?
Herr Lambrecht	Bitte sehr, gern. (Dieter goes to look for umbrella) Haben Sie ihn gefunden?
Dieter	Ja, danke schön.

7   *In einem Geschäft*

Kassiererin	Hallo! Haben Sie vielleicht Ihre Handschuhe vergessen?
Karola	O je! Das sind meine! Vielen Dank!
Kassiererin	Bitte schön.

8   *Im Hotel*

Frau Lyon	Frau Wemhoff, Sie haben Ihr Portemonnaie vergessen.
Karola	Ah! Ganz herzlichen Dank!
Frau Lyon	Bitte schön.

Übungen

1 You've just got back from a morning in town and discover you've lost a few things!
You go back to the various places where you might have left them . . .

Ich habe mein Portemonnaie verloren. Habe ich es hier liegenlassen?
Ein Portemonnaie? Ja, ist es dieses vielleicht?
O ja! Danke schön.

Ich habe meinen...........................   Habe ich ihn.............................?
Einen Schirm? Nein, wir haben keinen Schirm gefunden.

(You must have left it somewhere else)

Ich habe................................   Habe ich......................................?
Einen Schirm? Ja, ist es dieser vielleicht?
O ja! Herzlichen Dank!

Ich habe meine...........................   Habe ich sie..............................?
Eine Tasche? Ja, ist es diese vielleicht?
O ja! Vielen Dank.

Ich habe................................   Habe ich......................................?
Eine Kamera? Nein, wir haben keine Kamera gefunden.

(You ask somewhere else)

Ich habe......,.,......................   Habe ich......................................?
Eine Kamera? Ja, ist es diese vielleicht?
O ja! Danke sehr.

Ich habe................................   Habe ich......................................?
Einen Mantel? Ja, ist es dieser veilleicht?
O ja! Ich danke Ihnen.

Ich habe................................   Habe ich......................................?
Einen Hut? Nein, wir haben keinen Hut gefunden.

(Off you go to the next place!)

Ich habe................................   Habe ich......................................?
Einen Hut? Ja, ist es dieser vielleicht?
O ja! Danke.

Ich habe................................   Habe ich......................................?
Handschuhe? Ja, sind es diese vielleicht?
O ja! Danke vielmals!

Ich habe................................   Habe ich......................................?
Ein Feuerzeug? Nein, wir haben kein Feuerzeug gefunden.

(There's only one place left)

Ich habe................................   Habe ich......................................?
Ein Feuerzeug? Ja, ist es dieses vielleicht?
O ja! Vielen herzlichen Dank!

2 Haben Sie vielleicht etwas vergessen?

Haben Sie vielleicht Ihre Handschuhe vergessen?
O ja! Das sind meine Handschuhe.

Haben Sie vielleicht Ihr Portemonnaie vergessen?
O ja! ....

Haben Sie vielleicht Ihre Tüte vergessen?
O ja! ....

Haben Sie vielleicht Ihren Schirm vergessen?
O ja! ....

Haben Sie vielleicht Ihren Pass vergessen?
O ja! ....

Haben Sie vielleicht Ihre Zeitung vergessen?
O ja! ....

Haben Sie vielleicht Ihren Koffer vergessen?
O ja! ....

Haben Sie vielleicht Ihr Gepäck vergessen?
O ja! ....

3 Im Fundbüro
Complete these sentences, using the words listed in the box.

Frau Meier	Ich habe .... verloren.
Angestellter	Wann haben Sie die Handtasche verloren?
Frau Meier	Am ....
Angestellter	Und wo haben Sie sie verloren?
Frau Meier	Im ....
Angestellter	Wie sah sie aus?
Frau Meier	Sie ist .... und ist ....
Angestellter	Was war drin?
Frau Meier	Ein Kamm, ein Lippenstift, und ....
Angestellter	Wieviel Geld war da drin?
Frau Meier	Ungefähr ....
Angestellter	Augenblick. Ich schaue mal nach.

> Stadtpark
> aus Leder
> ein Portemonnaie
> meine Handtasche
> braun
> 40 DM
> Dienstag

Now work out some more conversations using the following information from the lost property office file.

	Mittwoch 17.	Donnerstag 18.	Freitag 19.	Samstag 20.
Gefunden:	ein Schirm	ein Portemonnaie	eine Tragetasche	eine Armbanduhr—neu
Farbe:	blau	schwarz	weiss	
Material:	aus Nylon	aus Leder	aus Plastik	aus Gold
Inhalt:	—	30,76 DM	Flasche Rotwein, 6 Eier, Brötchen, Hausschlüssel	—
Ort:	in der Bahnhof-strasse	Im Botanischen Garten	In der Königsallee	Auf dem Sportplatz

Überblick

How to say you have lost something, left something behind:

Ich habe	meinen Schirm meine Sonnenbrille mein Portemonnaie meine Handschuhe	verloren vergessen

How to ask if you have left something behind:

Habe ich	meinen Schirm meine Sonnenbrille mein Portemonnaie meine Handschuhe	hier liegenlassen?

Habe ich	ihn sie es sie	hier liegenlassen?

—and if someone has found it:

Haben Sie Haben Sie vielleicht	einen Schirm eine Sonnenbrille ein Portemonnaie ein Paar Handschuhe	gefunden?

Three important questions you may be asked:

Wo Wann	haben Sie	den Schirm die Sonnenbrille das Portemonnaie die Handschuhe	verloren?	Wie sah Wie sahen	er sie es sie	aus?

My

Das ist	mein Schirm meine Sonnenbrille mein Portemonnaie

Das sind meine Handschuhe

Ich habe	meinen Schirm meine Sonnenbrille mein Portemonnaie meine Handschuhe	verloren vergessen hier liegenlassen

Die letzte Fahrt

Who always has a friendly word for old junk?
What's a hard nut for the machine to crack?
What's a good diet for it?
What do the local farmers think of this mountain?
When will people be able to go for picnics on it?
Will they be allowed to leave litter behind?

Ein altes Dreirad, eine Matratze, ein Kinderwagen und ein Sessel stehen an der Strasse. Ein Mann sagt: 'Oh, guck mal, der schöne Kinderwagen!' Ein zweiter Mann sagt: 'Oh, guck mal, der schöne Sessel!' Es sind zwei Männer von der Müllabfuhr. Sie haben immer ein freundliches Wort für die alten Sachen.

Einmal im Monat kommt morgens um 7 der Müllwagen und holt ab, was die Leute nicht mehr wollen: Dreiräder, Matratzen, Kinderwagen, Polstersessel. Und ihre letzte Fahrt beginnt—ohne Triumph durch die Strassen der Stadt und aus der Stadt hinaus. Die Fahrt geht vorbei an Schaufenstern mit neuen Dreirädern, Matratzen, Kinderwagen und Polstersesseln. Das ist der Lauf der Welt: das eine kommt, das andere geht. Und draussen vor der Stadt wird der Müllberg immer grösser.

Küchenmüll, Wohnmüll, Büromüll, Geschäftsmüll, Strassenmüll, Industriemüll: Die Müllmänner kommen auf ihren Müllwagen und holen den Müll ab—120 Kubikmeter jeden Tag. Es gibt 36 000 Mülltonnen in der Stadt. Jeden Tag finden die Müllmänner 5 Kilo Bananenschalen auf den Strassen. Ein Klavier ist selten. Ein Tandem ist eine Rarität.

Die grossen Stücke kommen in eine Maschine auf dem Müllplatz. Die Maschine malt und malmt und mixt. Ein Eisschrank ist eine harte Nuss; knack! Ein Klavier braucht lange, es macht noch lange Klimbim, klim, bim. Ein Polstersessel macht Pfffffffffff und auch eine Matratze ist leise und leicht: eine Diät für die Maschine. Nur Autoreifen mag sie nicht. Die sind wie Kaugummi. Die Müllmänner sagen oft 'schade!' Schade um den Polstersessel. Schade um das schöne Klavier. Aber helfen können sie nun nicht mehr.

Welches ist der höchste Berg im Land? Ein Berg, der arbeitet wie ein Vulkan. Ein Berg, der klein beginnt und jeden Tag höher wird und höher. Er ist heute 10 Meter hoch und morgen 20 Meter und übermorgen 30 Meter hoch. Die Leute nennen ihn den MONTE KLAMOTTO (*von* alte Klamotten − alte Sachen). Es ist ein Berg aus Essensresten; ein Berg aus Nylonstrümpfen. Ein Berg, der zum Himmel stinkt. Die Bauern in der Nähe halten sich die Nase zu.

1984: Es gibt Parkplätze zum Parken auf dem Monte Klamotto. Es gibt Wanderwege zum Wandern. Es gibt Bänke zum Sitzen. Es gibt grüne Wiesen für Picknicks. Und es gibt Papierkörbe für das Papier nach dem Picknick. Es gibt ein grosses Schild: BÜRGER SCHÜTZE DEINE UMWELT! Bananenschalen sind verboten; und alle alten Klaviere.

Frau Timpte talks about the animals' home in Münster.

How many animals are there on average in the home each month?
How much does it cost per day to have a pet bird looked after?
Which animals are fed cooked meat and rolled oats?
Why are sensitive animals housed in twos?
After how long can lost animals be bought?
What is the name of Frau Timpte's own dog?
Is she a good watch dog?

Karola	Frau Timpte, wieviele Tiere haben Sie hier?
Frau Timpte	Durchschnittlich im Monat zwischen fünfzig und hundertzwanzig, und wir haben hier Findlinge und Pensionstiere—vor allen Dingen Katzen und Hunde, sowie oft Vögel.
Karola	Wieviel müssen die Besitzer für die Pflege zahlen?
Frau Timpte	Ja, für Katzen nehmen wir pro Tag vier Mark und für Hunde von fünf Mark bis sieben Mark fünfzig und Kleintiere wie Vögel und Hamster zwischen fünfunddreissig Pfennig und einer Mark.
Karola	Was geben Sie den Tieren zu fressen?
Frau Timpte	Den Hunden geben wir gekochtes Fleisch und rohe Haferflocken sowie einen Kalkzusatz und den Katzen rohe Leber und Kit-e-Kat, und die Vögel bekommen ein Spezialfutter.
Karola	Wo leben die Tiere?
Frau Timpte	Bei uns leben die in geheizten Boxen und zum Teil einzeln und zu zweit. Sensible Tiere können zu zweit leben, weil sie dann nicht so viel Heimweh haben.
Karola	Was für Namen haben die Tiere?
Frau Timpte	Ja, das ist ganz verschieden. Die grossen Tiere heissen Caesar, Bodo, Axel, kleinere heissen Susie, Trixie, Waldi, Purzel, und bei den Katzen haben wir Peter, Muschi, Tinker. Die haben sehr ausgefallene Namen!
Karola	Welche Tiere gehen meistens verloren?
Frau Timpte	Am meisten gehen Hunde verloren, weniger Katzen, und am allerwenigsten Vögel.
Karola	Nach welcher Zeit kann man denn die Findlinge kaufen, Frau Timpte?
Frau Timpte	Nach vierzehn Tagen bis vier Wochen.
Karola	Wie ist die Atmosphäre, wenn ein Besitzer seinen Hund wiederfindet?
Frau Timpte	Ja, das kann ich Ihnen wohl sagen, die Freude ist sehr, sehr gross—von beiden Seiten.
Karola	Was für Tiere haben Sie selbst am liebsten?
Frau Timpte	Ja, wenn ich ehrlich sein soll, am liebsten habe ich Hunde und am allerliebsten die Mischlinge. Aber ich liebe alle Tiere, sonst wäre ich auch wirklich hier fehl am Platze.
Karola	Haben Sie selbst ein Haustier, Frau Timpte?
Frau Timpte	Ja, ich persönlich besitze eine Schäferhündin, die heisst Cora. Cora war auch ein Findling und ist heute mein treuer Bewacher.

It's worth knowing

Lost property offices

Let's hope you won't need one, but if you do, there are several. The main town **Fundbüro** is very often in the **Stadthaus**, the city administration building. It may sometimes be run by the police who might be worth a try anyway, especially if you suspect something has been stolen.

The bigger **Taxi-Zentralen** may have a lost property office for things left in their taxis, although very often they hand any lost property in at the Stadthaus. And there are the Public Transport lost property offices, in particular those of the **Bundesbahn**.
Unless a railway station is unmanned there will always be someone who takes care of property lost or left on trains, or in stations. The larger stations have proper **Fundbüros** with regular opening hours.

If your property hasn't been found, you will have to fill in a **Verlustanzeige** giving a description of the item plus date and place of loss and, of course, your address, so that the office may inform you in case your property is handed in.

The **ADAC** operates a lost property office to which a motorist can apply if he has lost something on the road. So far, the service covers the federal road network (**Bundesstrassen**), the first class roads (**Landstrassen 1. Ordnung**) and the **Autobahnen**. The address is: Allgemeiner Deutscher Automobil Club e.V.
Zentralfundnachweis,
8 München 22
Königinstrasse 9–11a

And if it comes to the worst, you could always put an advert in the papers . . .

VERLOREN/GEFUNDEN

Rauhhaardackel-Rüde entlaufen

Samstag, 3. 8., 19 Uhr, Breitscheid. 6 Jahre altes Tier. Tätowierungs-Nr im Ohr ET 7603, Rufname ,,Arko''. Belohnung.

☎ 0 21 02 / 1 51 63

Grüner Wellensittich

entflogen, hört auf den Namen Charlie. ☎ 44 22 24

Achtung: Hohe Belohnung: Am Samstag, dem 3. 8. 1974, ist mir auf dem Flohmarkt in Düsseldorf mittags ein blaues Briefmarkeneinsteckalbum abhanden gekommen. Darin befanden sich viele Briefmarken von Deutschland. Zum Beispiel: Der Posthornsatz postfrisch mit Pfalz und Zahnfehler. Dann weitere Posthornmarken: nachgummiert und geknickt. Der Osteuropablock mit kleinen Beschädigungen. Viele Briefmarken von der Bundesrepublik — meistens zweite Wahl. Mehrere ausländische Briefmarken von Lichtenstein usw. Bei Fund und Wiederbeschaffung setze ich mit Vereinbarung eine hohe Belohnung aus. ☎ (02 11) 71 33 16 ab 19 Uhr

Wem ist ein blauer Wellensittich in der Zeit vom 28. 7. bis jetzt zugeflogen. ☎ 22 13 44 ab 18 Uhr

8. 8., 7.30: Wer fand blauweiße Kradanzughose in Tasche vor Werstener Kreuz? ☎ 0 21 22/5 44 13

Siamkatze entlaufen, Wiederbringer erhält hohe Belohnung. ☎ 48 65 84

Grün-gelber Wellensittich (männl.) entflogen. Gegen Belohnung abzugeben. Krieger, Oberbilker Allee 286

Blauer Wellensittich am 6. 8. in Garath entflogen. ☎ 70 56 92

Kleiner, schwarz-weißer Kater entlaufen. Hört auf den Namen Harlekin. Besonderes Kennzeichen: Gesicht halb schwarz, halb weiß. Wiederbringer erhält Belohnung, da Kinder sehr traurig. Düsseldorf-Oberbilk, Höhenstr. 74 b. ☎ 77 61 30

Nymphensittich am 7. 8. entflogen. Hohe Belohnung. ☎ 70 59 49.

20 Geht es heute vormittag?

How to say you've booked an hotel room

An der Hotel Rezeption　　　　　　　　　　**ich habe ein Zimmer bestellt**

1　　*Dieter*　Lammers ist mein Name.
　　　　　　Ich habe ein Zimmer bestellt.
　Frau Lyon　Einen Moment bitte, Herr Lammers, ich werde mal nachsehen . . .
　　　　　　Ja, Sie haben Zimmer 125 im ersten Stock. Hier ist der Schlüssel.
　　Dieter　Danke schön. Zimmer 125 im ersten Stock. Wo kann ich meinen Wagen
　　　　　　parken?
　Frau Lyon　Wir haben einen Parkplatz hinter dem Hause. Der Page kommt mit
　　　　　　hinaus und wird auch das Gepäck hereinholen.
　　Dieter　Das ist nett. Danke schön.

2　　*Britta*　Mein Name ist Sommer. Ich habe ein Zimmer bei Ihnen bestellt.
　Empfangsdame　Guten Tag! Ein Einzelzimmer, Frau Sommer?
　　Britta　Ja, ein Einzelzimmer.
　Empfangsdame　Ja. Könnten Sie bitte dieses Formular ausfüllen?
　　Britta　Ja. (she fills in form)
　Empfangsdame　(giving her the key) Zimmer 106. Haben Sie Gepäck dabei?
　　Britta　Ja, dort.
　Empfangsdame　(to bell-boy) Willi, könnten Sie bitte das Gepäck der Dame auf das
　　　　　　Zimmer bringen?

der Page kommt mit hinaus　　　the bell-boy will come
　　　　　　　　　　　　　　　outside with you

and some revision

An der Theaterkasse

3　　*Karola*　Ich möchte gerne zwei Karten für das Kammerkonzert im
　　　　　　Rathaussaal.　　　　　　　　　　　　　　　　　**am Sonntag**
　Angestellte　Gern. Das Konzert findet am Sonntag vormittag.　　**vormittag**
　　　　　　um 11 Uhr statt, und abends um 20 Uhr.　　　**um 11 Uhr**
　　　　　　Für welches Konzert möchten Sie Karten?
　　Karola　Dann nehme ich zwei Karten für die Matineevorstellung.
　Angestellte　Gern. Die Karten kosten 3 DM. (Karola pays) 6 DM,
　　　　　　4 DM zurück.
　　Karola　Danke. Haben Sie bitte ein Programm?
　Angestellte　Ja, das kostet 50 Pfennig. Danke.
　　Karola　Wie komme ich zum Rathaus?
　Angestellte　Das Rathaus ist zehn Minuten von hier im Zentrum der Stadt.
　　Karola　Und wann beginnt das Konzert?
　Angestellte　Das Konzert beginnt um 11 Uhr.
　　Karola　Wann ist es zu Ende?
　Angestellte　Es dauert ungefähr eineinhalb Stunden.　　**eineinhalb Stunden**
　　Karola　Ich danke Ihnen für Ihre Auskunft.

. . . findet um 11 Uhr statt　　　. . . takes place at 11 o'clock

4   *In der Keller-Bar*

Knut	Was trinken Sie? Lieber einen Mosel oder einen Rheinwein?
Sabine	Ich trinke lieber Mosel.
Herr Zschucke	Ich auch einen Mosel.
Knut	Gern. Herr Ober!
Kellner	Schönen guten Abend! Was kann ich für Sie tun?
Knut	Bitte eine Flasche Moselwein, die 209.
Kellner	209, bitte sehr. (he goes to fetch wine)
Herr Zschucke	Wie lange bleiben Sie noch in Celle?
Knut	Ich bleibe noch zwei Tage in Celle.
Sabine	Fein! Mögen Sie gerne Musik?
Knut	Ja!
Sabine	Wir gehen morgen ins Konzert. Wollen Sie mit uns gehen?
Knut	Ja, gern. Was steht denn auf dem Programm?
Herr Zschucke	Hindemith und Mozart.
Knut	Ah ja. Wann beginnt das Konzert?
Herr Zschucke	Um 20 Uhr. (waiter serves the wine)
Knut	(raising his glass) Zum Wohl!
Sabine	Mmmm! Der Wein ist aber gut!
Knut	Und wann treffen wir uns morgen?
Herr Zschucke	Ja, am besten um 19.30 Uhr.
Knut	Und wo treffen wir uns?
Sabine	Vor dem Schloss.

noch zwei Tage

morgen
um 19.30 Uhr

noch zwei Tage	two more days
was steht denn auf dem Programm?	what's on the programme?

5   *An der Hotel Rezeption*

Knut	Haben Sie einen Fahrplan der Bundesbahn?
Empfangsdame	Ja. (giving him the railway timetable) Kann ich Ihnen helfen? Wohin wollen Sie fahren?
Knut	Ich will morgen mittag so gegen 13 Uhr in Frankfurt sein.
Empfangsdame	Ja. Sie können in Celle um 8.45 Uhr abfahren . . .
Knut	Ja, und wann bin ich in Frankfurt?
Empfangsdame	Sie kommen in Frankfurt um 12.36 Uhr an.
Knut	Ja. Ich danke Ihnen.

so gegen
13 Uhr

so gegen 13 Uhr	round about 1 o'clock

6   *Beim Arzt*

Assistentin	Guten Tag! Bitte schön?
Dieter	Ich möchte gerne in die Sprechstunde.
Assistentin	Dann muss ich Ihnen einen Termin geben.
Dieter	Ja. Geht es noch heute vormittag?
Assistentin	Ja, ich schaue mal nach. (looks in appointments book) Könnten Sie um 11 Uhr wieder hier sein?
Dieter	Ja, um 11 Uhr. Das geht wohl.
Assistentin	Wie ist dann bitte Ihr Name?
Dieter	Lammers.
Assistentin	Herr Lammers, kommen Sie dann bitte um 11 Uhr wieder.
Dieter	Ja, danke schön. Bis um 11 dann. Auf Wiedersehen!
Assistentin	Auf Wiedersehen, Herr Lammers!

heute vormittag

	(Dieter arrives for his appointment)	
Dieter	Ich habe für 11 Uhr einen Termin.	**für 11 Uhr**
Assistentin	Wie ist noch gleich Ihr Name?	
Dieter	Lammers.	
Assistentin	Herr Lammers, nehmen Sie bitte einen Moment im Wartezimmer Platz.	
Dieter	Ja, danke schön.	

ich möchte gerne in die Sprechstunde	I'd like to see the doctor/have a consultation
wie ist noch gleich Ihr Name?	what is your name again?

7 **Am Stammtisch**

Corinna	Herr Doktor Hülsemann, wie oft kommen Sie zum Stammtisch?	
Dr. Hülsemann	Ein- bis zweimal in der Woche	**ein- bis zweimal in der Woche**
Corinna	Herr Müller, wie oft kommen Sie zum Stammtisch?	
Herr Müller	Drei- bis viermal in der Woche komme ich zum Stammtisch.	
Corinna	Wie lange dauert der Stammtisch jeden Abend?	**jeden Abend**
Herr Müller	Der Stammtisch dauert von 18.30 Uhr bis 20 Uhr.	**von 18.30 Uhr bis 20 Uhr**
Corinna	Knobeln Sie nur oder spielen Sie auch manchmal Karten?	
Herr Müller	Nein, wir knobeln und wir unterhalten uns.	
Corinna	Wieviele Herren sind Sie?	
Dr. Hülsemann	Wir sind etwa acht bis zehn Herren.	
Corinna	Kennen Sie sich schon lange?	**seit 15 bis 20 Jahren**
Dr. Hülsemann	Ja, wir kennen uns seit fünfzehn bis zwanzig Jahren.	

am Stammtisch	at the table reserved for regular guests.
wir kennen uns seit fünfzehn bis zwanzig Jahren	we've known each other for fifteen to twenty years

Übungen

1 Number each response according to which sentence it belongs to.

1 Ich möchte nach Leeds telefonieren.	Sie ist leider nicht da.
2 Ich möchte diesen Reisescheck einlösen.	Der Fernseher ist im Frühstücksraum.
3 Ich möchte die Rechnung bezahlen.	Könnten Sie bitte unterschreiben?
4 Ich möchte mir das Haar waschen und legen lassen.	Wollen wir zusammen fahren?
5 Ich möchte Fräulein Hansen sprechen.	Haben Sie einen Termin?
6 Ich möchte 20 Pfund in D-Mark wechseln.	Das macht 58 DM.
7 Ich möchte die Nachrichten sehen.	Darf ich Ihren Pass sehen?
8 Ich möchte nach Celle fahren.	Gehen Sie bitte in Zelle 4.

2 You are your usual hypochondriac self and feel you must consult all the local doctors, and of course the dentist:

Guten Tag! Ich möchte zu Herrn Dr. Perdes. Wann ist Montag vormittag Sprechstunde?

Sprechstundenhilfe
Sprechstunde ist montags vormittags von 9 bis 12 Uhr.

Kann ich um 10 Uhr kommen?

Sprechstundenhilfe
Ja, das ist möglich. Wie ist Ihr Name, bitte?

....

Sprechstundenhilfe
Vielen Dank! Auf Wiederhören!

Now ring up and make appointments with the other doctors for the times shown:

	Vormittag	Nachmittag
Mo. 23	Dr. Perdes 10.00	Dr. Paul 14.00
Di. 24	Dr. Klinger 8.30	
Mi. 25	Dr. Söhnker 9.15	
Do. 26	Dr. Pape 9.45	Dr. König 17.30
Fr. 27	Dr. Meier 8.15	

Armed with your **Krankenschein**, you now arrive for your various appointments:

Ich möchte zu Herrn Dr. .... in die Sprechstunde.

Sprechstundenhilfe
Haben Sie einen Termin?

Ja, ich habe um .... einen Termin. Mein Name ist ....

Sprechstundenhilfe
Ja. Ihr Krankenschein, bitte? Danke schön. Nehmen Sie bitte einen Moment im Wartezimmer Platz.

Dr. Med. Paul König
Praktiker

Sprechstd.
Mo.-Fr. 9-10.30
Mo. Di., Do. 17-18 Uhr

Dr. E. Perdes
Zahnarzt

Sprechstd.
9-12 und 15-18 Uhr
Mittwoch nachmittag
keine Sprechstunde
Sonnabend nach Vereinbarung

Dr. Med. Klaus Söhnker
Röntgenologe
Sprechstunde
Mo. Di. Do. Fr. 8-10 Uhr
Mo. Di. Do. 15-17 Uhr

Dr. Med. Hans Meier
Neurologe
Sprechstunde
Mo. Di. Do. Fr. 8-10 Uhr
Mo. Di. Do. 16-18 Uhr
Mittwoch nur nach
Vereinbarung

Dr. Med. Ernst Klinger
Hals-Nasen-Ohrenleiden

Sprechstunde
Mo. Di. Do. Fr. 8-12 Uhr
Mo. Di. Do. 16-17 Uhr
Mittwoch und Samstag
keine Sprechstunde

Klaus Pape
Arzt für Allgemeinmedizin
Sprechstunde
Mo. Di. Do. Fr. 9-11 Uhr
Mo. Di. Do. 16-17 Uhr

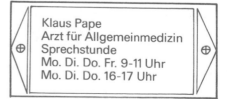

Dr. Med. Alfred Paul Internist
Sprechstd. nur nach Vereinbarung

3 Was möchten Sie hören?

WDR II

5.45 Marktberichte für die Landwirtschaft
5.55 Morgenandacht (Monsignore Guido Aix, Düsseldorf)
6.00 Heute morgen Noten und Notizen zum Tage. Dazw. 6.30 und 7.30 Nachr., Wetter
8.30 Nachr., Wetter
8.35 Zeitzeichen
8.50 Choral
8.55 Morgenandacht (Monsignore Guido Aix, Düsseldorf)

9.00 Herzlichen Glückwunsch
9.40 Mitmenschen
9.45 Daheim u. unterwegs. Dazw. 10.30 Nachr., Wetter; 11.30 Bücher-Boutique
12.30 Nachr.; Presse
12.45 Für den Tierfreund
12.59 Börse aktuell
13.00 Mittagsmagazin
15.30 Nachr., Wetter
15.35 Quintessenz Fakten für Verbraucher
15.45 ●● Musik-Expreß
16.15 Aus den Bundesländern
16.30 ●● Music confidential. Vertrautes u. Vertrauliches
17.20 Nachr. aus NRW
17.30 Zwischen Rhein und Weser
18.25 Kommentar zur Landespolitik

18.30 ●● Discothek im WDR
19.30 Nachr., Wetter
19.40 Von Tag zu Tag
19.45 Recht im Alltag
20.00 Soirée bei Paul Lincke
21.30 Hartmann lebt Begegnung mit dem „erfolgreichsten Jagdflieger aller Zeiten"
22.15 ●● Die Frank Mantis Group und Katja Ebstein
22.30 Nachr., Wetter
22.35 Sport
22.50 ●● Kookie Freemann und sein Velvet-Sound-Orchester
23.30 Nachr., Wetter
23.35–24.00 ●● Geistliche Musik

WDR III

10.25 Musikalischer Auftakt

You've got odd jobs to do around the house this evening and need some light background music to keep you going. Paul Lincke, Frank Mantis and Kookie Freemann sound just about right.

Ich möchte .... hören. Wann beginnt das Programm?

Das Programm beginnt um ....

Wann ist das Programm zu Ende?

Das Programm ist um .... zu Ende.

Ask for details of the other programmes you'd like to listen to.

4 The Hotel Maritim promises a lot to its guests. Do you understand the advertisement? Which are the facilities mentioned?

Ask in each case whether they have a ....? Haben Sie

ein ....?
eine ....?
einen ....?

— ANZEIGE —

Das Hotel Maritim garantiert seinen Gästen–

* Zur Begrüssung einen Maritim-Cocktail an der Bar.

* Die Benutzung des klimatisierten und beheizten Schwimmbades.

* Die Benutzung der finnischen Sauna.

* Trimm Dich im Sportraum.

* Eine Nurse für die Kinder im Kindergarten.

* Viele ruhige Stunden in der Bibliothek.

* Ostsee-Spezialitäten im Maritim Restaurant.

* Sonnentage auf der Sonnenterrasse.

* Und Sonnentage am eigenen Strand.

Trimm Dich

What must we do on a Sunday in the woods?
What will you be told if you're too fat?
Who is the symbol of Trimm Dich campaigns?
What's a good exercise for people who have to sit all day?

Sonntags im Wald: Wir möchten spazieren gehen, aber wir dürfen nicht. Wir möchten uns hinsetzen und Zeitung lesen, aber wir dürfen nicht. Wir müssen laufen, hüpfen, springen und an Ringen hängen. Männer in Trainingsanzügen hängen neben ihren Frauen. Sie trimmen sich auf einem TRIMM DICH PFAD.

TRIMM DICH! Frauen sagen zu ihren Männern: 'Trimm dich, du bist zu dick!'. Lehrer sagen zu ihren Schülern: 'Los, los, trimmt euch!'. Sekretärinnen sagen zu ihren Bossen: 'Trimm dich!'. Sie sagen nicht: 'Trimmen Sie sich, bitte'. TRIMM DICH! Es klingt wie 'Wasch dich!' oder 'Putz dir die Nase!'.

TRIMMY ist die Symbolfigur der TRIMM DICH Aktion. Trimmy ist das Männchen auf Bierdeckeln und Posters. Seine Slogans sind: Tanz mal wieder, spring mal wieder, schwimm mal wieder. Trimmy ist überall. Er ist das *alter ego* der Nation.

Trimmy macht Hausfrauen frivol: Tanz mal wieder! Täglich tanzen sie durch ihre Wohnung. Trimmy stoppt Autofahrer: Arme hoch! Es ist wie ein Virus, sagen sie. Aber ein gesunder. Die Aktion HEISSER STUHL ist einfach und effektiv. Aufstehen, setzen, aufstehen, setzen (50 mal). Es ist ein Wundermittel für alle Menschen, die viel sitzen, müssen: Dichter, Fernfahrer, Prokuristen, Stenotypistinnen, Kranführer. TRIMM DICH! Firmenchefs müssen ihre Konferenzen unterbrechen; Manager müssen ihre Meetings unterbrechen; Angestellte unterbrechen ihre Telefongespräche: Einen Moment bitte, für die Aktion TRIMM DICH IM BÜRO! (Es gibt diese Aktion bei Volkswagen, Siemens, Agfa und bei der Bundespost.) Erst nach fünf Minuten Gymnastik gehen die Gespräche weiter: Ja bitte, wo waren wir?

Und am Abend macht man TRIMM DICH privat mit Trimmi-Max und Multi-Trimm und Muskel-Fax—das sind die Namen von Trimm Dich Apparaten. Pedale ohne Fahrrad, Ruder ohne Boot. Man kann radeln und rudern und kommt doch niemals an. Trimm dich. TRIMM DICH!

Frau Sanders talks about her allotment.

How many allotments are on the site?
Why doesn't Frau Sanders grow vegetables?
Who prunes the trees and cuts the grass?
Do Frau Sanders' children like working in the garden?
How often do they have a party in the garden?
What do they drink with the sucking pig?

Dieter	Frau Sanders, was machen Sie in Ihrer Freizeit?
Frau Sanders	Ich fahre gerne Rad, wir gehen zum Schwimmen, und wir gehen viel in unseren Schrebergarten.
Dieter	Was sind Schrebergärten?
Frau Sanders	Das sind kleine Gärten in einer Anlage für Leute, die keinen eigenen Garten haben.
Dieter	Wie lange haben Sie schon den Schrebergarten?
Frau Sanders	Drei Jahre ungefähr.
Dieter	Wieviele Gärten sind in der Anlage?
Frau Sanders	Zirka sechzig.
Dieter	Wie gross ist Ihr Garten?
Frau Sanders	Der ist zirka 380 bis 400 Quadratmeter gross.
Dieter	Und wie sieht er aus?
Frau Sanders	O, wir haben Obstbäume, Tannen, Rasen und ein festes Haus darauf.
Dieter	Was ist sonst noch im Garten?
Frau Sanders	Blumen, Beerensträucher, eine Pumpe, eine Schaukel für die Kinder.
Dieter	Haben Sie kein Gemüse?
Frau Sanders	Wenig.
Dieter	Warum nicht?
Frau Sanders	Das lohnt sich kaum, das ist hier auf dem Markt billiger.
Dieter	Arbeitet die ganze Familie im Garten?
Frau Sanders	Ja, am meisten ich. Mein Mann schneidet die Bäume, mäht den Rasen. Die Kinder kommen nicht so gern zum Arbeiten. Sie kommen lieber zum Spielen.
Dieter	Haben Sie Kontakt zu den anderen Gärtnern?
Frau Sanders	O ja, wir haben gute Kontakte. Wir helfen einander gern, besonders den älteren Leuten, und einmal im Jahr haben wir im Garten ein schönes Fest. Wir haben ein Spanferkelessen, es gibt Bier vom Fass, und anschliessend wird getanzt.
Dieter	Haben Sie dabei überhaupt noch Zeit für Ihre anderen Hobbies?
Frau Sanders	Ja, so gross ist der Garten nicht, und Arbeit, die man gern tut, die geht schnell von der Hand.

It's worth doing

There are 2,000 kilometers of Keep Fit tracks (**Trimm Dich Pfad**) in Germany. The one in the Grafenberger Wald near Düsseldorf is set in woodlands, up and down hill. Apart from a good walk, these are some of the twenty exercises you will be expected to do!

Swing arms forward and back

Walk, run or hop

Swing trunk round to the left, and then to the right

Bend backwards and pull up.

Forward hop to left and right, over the tree trunk.

Grammar

A summary of the new grammar you have learnt in units 11–20

der Pullover	**the**		dieser Pullover	**this**	
das Hemd			dieses Hemd		
die Bluse			diese Bluse		
die Schuhe (pl.)			diese Schuhe	**these**	

mein	Pullover Hemd	**my**		Ihr	Pullover Hemd	**your**
meine	Bluse Schuhe			Ihre	Bluse Schuhe	

Diesen, meinen, Ihren, like **den** and **einen**, are used with **der** words in many of the sentence patterns you have learnt:

Haben Sie	einen Stadtplan von Münster?
	diesen Mantel eine Nummer kleiner?

	einen Termin für nächste Woche
Ich möchte	diesen Reisescheck einlösen
	einen Pullover kaufen
	diesen Film entwickeln lassen
	diesen Anzug reinigen lassen

Könnten Sie mir	einen Aschenbecher bringen?
	diesen Hundertmarkschein wechseln?

Könnten Sie bitte	den Luftdruck prüfen?

Ich habe	meinen Pass verloren
Haben Sie	Ihren Schirm gefunden?

Verbs

Not all the new verbs follow completely the basic present tense pattern (see Book I, page 95), but almost all of those parts you have learnt to use do:

	haben	nehmen	sehen	sprechen	waschen	lesen	geben
ich	habe	nehme	sehe	spreche	wasche	lese	gebe
er sie es	*hat*	*nimmt*	*sieht*	*spricht*	*wäscht*	*liest*	*gibt*
Sie wir sie	haben	nehmen	sehen	sprechen	waschen	lesen	geben

These verbs follow a different pattern:

	können	**wollen**	**müssen**	**mögen**
ich er, sie, es	kann	will	muss	mag
Sie wir sie	können	wollen	müssen	mögen

And you have also learnt these forms:

können		**mögen**	
ich könnte	könnte ich . . . ?	ich möchte	
Sie könnten	könnten Sie . . . ?	Sie möchten	möchten Sie . . . ?
wir könnten	könnten wir . . . ?	wir möchten	

Using **gefallen** and **schmecken**:

Der Pullover			Der		
Die Hose	gefällt mir	(gut)	Die	gefällt mir	(gut)
Das Hemd		nicht	Das		nicht
Die Handschuhe gefallen mir			Die gefallen mir		

—and when talking about food or drink:

Schmeckt es Ihnen?			Es schmeckt mir	(gut) nicht	
	der Fisch?		Der Fisch		
Schmeckt Ihnen	die Suppe?		Die Suppe	schmeckt mir	(gut)
	das Gulasch?		Das Gulasch		nicht
Schmecken Ihnen die Würstchen?			Die Würstchen schmecken mir		

Talking about the past:

Ich **habe** ein Zimmer **bestellt**
Ich **habe** meinen Schirm **verloren**
Ich **habe** meine Tasche hier **liegenlassen**
Haben Sie Ihr Portemonnaie **vergessen**?
Haben Sie ihn **gefunden**?

Each verb in these sentences has two parts. The second part comes at the end.

More points about word order:

Ich **möchte** die Nachrichten **sehen**
Ich **möchte** diese Sachen **reinigen lassen**

Könnten Sie meine Tasche **nähen**?
Könnten Sie mir ein Taxi **bestellen**?

Kann ich die Bluse einmal **anprobieren**?
Wann **kann** ich **kommen**?

Wollen wir ins Theater **gehen**?
Wo **wollen** wir uns **treffen**?
Wie oft **muss** ich die Tabletten **nehmen**?

In all these cases the second verb comes at the end of the sentence.

Pronouns

Instead of a noun you can use **er**, **ihn**, **sie**, **es** (it), or **sie** (they), according to which noun you are referring to:

Ich habe	meinen Schirm meine Tasche mein Portemonnaie meine Handschuhe	verloren	Habe ich	ihn sie es sie	hier liegenlassen?
Wie sah Wie sahen	der Schirm die Tasche das Portemonnaie die Handschuhe	aus?		Er Sie Es Sie sind	ist schwarz

Numbers

null	0	dreissig	30	hundert	100
eins	1	einunddreissig	31	hunderteins	101
zwei (zwo)	2	vierzig	40	zweihundert	200
drei	3	einundvierzig	41	zweihunderteins	201
vier	4	fünfzig	50	dreihundert	300
fünf	5	einundfünfzig	51	dreihunderteins	301
sechs	6	sechzig	60	vierhundert	400
sieben	7	einundsechzig	61	vierhunderteins	401
acht	8	siebzig	70	fünfhundert	500
neun	9	einundsiebzig	71	sechshundert	600
zehn	10	achtzig	80	siebenhundert	700
elf	11	einundachtzig	81	achthundert	800
zwölf	12	neunzig	90	neunhundert	900
dreizehn	13	einundneunzig	91	tausend	1,000
vierzehn	14			zweitausand	2,000
fünfzehn	15			dreitausend	3,000
sechzehn	16			viertausend	4,000
siebzehn	17			fünftausend	5,000
achtzehn	18			usw.	etc.
neunzehn	19				
zwanzig	20				
einundzwanzig	21				
zweiundzwanzig	22				

Prices and times

We have printed these as you will normally find them printed in Germany. To remind you how they are spoken, here are a few examples:

Prices	78 DM	achtundsiebzig Mark *or* achtundsiebzig D-Mark
	8,50 DM	acht Mark fünfzig *or* acht Mark und fünfzig Pfennig

Times	10.26 Uhr	zehn Uhr sechsundzwanzig
	00.05 Uhr	null Uhr fünf
	09.30 Uhr	neun Uhr dreissig *or* halb zehn

Time

01.00	ein Uhr (morgens)
02.00	zwei Uhr (morgens)
03.00	usw.
04.00	
05.00	
06.00	
07.00	
08.00	
09.00	
10.00	
11.00	elf Uhr (vormittags)
12.00	zwölf Uhr (mittags)
13.00	ein Uhr (nachmittags); dreizehn Uhr
14.00	zwei Uhr (nachmittags); vierzehn Uhr
15.00	usw.
16.00	
17.00	
18.00	
19.00	sieben Uhr (abends); neunzehn Uhr
20.00	acht Uhr (abends); zwanzig Uhr
21.00	usw.
22.00	
23.00	
24.00	zwölf Uhr; Mitternacht; vierundzwanzig Uhr (null Uhr)

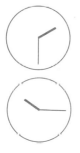

zwei Uhr dreissig
halb drei
vierzehn Uhr dreissig

zehn Uhr fünfzehn
Viertel nach zehn
zweiundzwanzig Uhr
fünfzehn

neun Uhr zwanzig
einundzwanzig Uhr
zwanzig

neun Uhr fünfund
vierzig
Viertel vor zehn
einundzwanzig Uhr
fünfundvierzig

Wann?

um drei
fünf Uhr nachmittags
vierzehn Uhr dreissig
halb sieben

Wie lange?

fünf Minuten

zehn Minuten

eine Stunde

zwei Stunden

eineinhalb Stunden

zweieinhalb Stunden

Wie oft?

1	einmal	am Tag	täglich
2	zweimal	in der Woche	wöchentlich
3	dreimal	im Monat	monatlich
4	viermal	im Jahr	jährlich
5	fünfmal		

Days, dates and months of the year

Ich möchte gern zwei Karten für Sonntag
Die Premiere ist am dreiundzwanzigsten März
Ich möchte zwei Karten für den sechsten Januar
Die Konferenz ist vom ersten bis zum dritten Mai

am für	Montag Dienstag Mittwoch Donnerstag Freitag Samstag (Sonnabend) Sonntag	am für den vom bis zum	ersten Januar zweiten Februar dritten März vierten April fünften Mai sechsten Juni siebten Juli achten August neunten September zehnten Oktober elften November zwölften Dezember dreizehnten vierzehnten . . . usw. neunzehnten	am für den vom bis zum	zwanzigsten Januar einundzwanzigsten zweiundzwanzigsten . . . usw. dreissigsten einunddreissigsten

Key to Exercises

III

1a

Haben Sie ein Einzelzimmer frei?
Für zwei Nächte.
Mit Dusche, bitte.
Was kostet das Zimmer?
Ist das mit Frühstück?
Ja, das nehme ich.

Empfangsdame

Ja. Für wie lange?
Mit Bad oder mit Dusche?
Ja, ich habe ein Einzelzimmer mit Dusche.
Das Zimmer kostet vierzig Mark pro Nacht.
Ja, mit Frühstück und Mehrwertsteuer.
Tragen Sie sich bitte ein.

b

Haben Sie ein Doppelzimmer frei?
Für eine Nacht.
Mit Bad, bitte.
Was kostet das Zimmer?

Ja. Für wie lange?
Mit Bad oder mit Dusche?
Ja, ich habe ein Doppelzimmer mit Bad.
Das Zimmer kostet fünfundsechzig Mark
pro Nacht.

c

Haben Sie ein Doppelzimmer frei?
Für vier Nächte.
Mit Dusche, bitte.
Was kostet das Zimmer?

Ja. Für wie lange?
Mit Bad oder mit Dusche?
Ja, ich habe ein Doppelzimmer mit Dusche.
Das Zimmer kostet fünfundsechzig Mark
pro Nacht.

d

Haben Sie ein Einzelzimmer frei?
Für eine Woche.
Mit Bad, bitte.
Was kostet das Zimmer?

Ja. Für wie lange?
Mit Bad oder mit Dusche?
Ja, ich habe ein Einzelzimmer mit Bad.
Das Zimmer kostet vierzig Mark pro Nacht.

2 Von heute bis Mittwoch. Von heute bis Samstag. Von heute bis
Freitag. Von heute bis morgen. **3** a Ich möchte bitte ein Einzelzimmer.
Mit Dusche, bitte. Für zwei Wochen. b Wir möchten bitte ein
Doppelzimmer. Mit Bad, bitte. Für zwei Wochen. c Wir möchten bitte
ein Doppelzimmer. Ohne, bitte. Für fünf Nächte. d Wir möchten bitte
zwei Einzelzimmer. Mit Bad, bitte. Für sechs Nächte. e Ich möchte bitte
ein Einzelzimmer. Ohne, bitte. Für eine Woche. **4** einen Prospekt von
Munster? Postkarten? einen Flugplan der Lufthansa? Briefmarken? ein
Telefonbuch? Zeitungen?

12

1 a Hannover. zwei Plätze. Freitag. vierzehn Uhr fünfunddreissig.
Nichtraucher, bitte. Ja bitte, am Fenster *or* Fensterplätze. Nein, zweimal.
zwanzig Mark. b München. einen Platz. Mittwoch. neun Uhr zwanzig.
Raucher, bitte. Ja bitte, am Fenster *or* Fensterplätze. Ja, einmal. zehn
Mark. c Bonn. drei Plätze. Sonntag. zwanzig Uhr zehn. Nichtraucher,
bitte. Nein, danke. Nein, dreimal. dreissig Mark.

13

1 1G; 2A; 3E; 4D; 5J; 6H; 7B; 8F; 9C; 10I. **2** Ich möchte fünfunddreissig
französische Francs in deutsche Mark wechseln. Ich möchte fünfzig
amerikanische Dollars in deutsche Mark wechseln. Ich möchte
zweihundert schweizer Franken in deutsche Mark wechseln. Ich möchte
achttausend japanische Yen in deutsche Mark wechseln. Ich möchte
zehntausend italienische Lire in deutsche Mark wechseln. **3** diesen
Mantel. diesen Hut. diesen Anzug. diesen Overall. diese Jeans. diesen
Rock. dieses T-shirt. **4** den Ober. Ich möchte bitte die Kellnerin

sprechen. Ich möchte bitte den Küchenchef sprechen. Ich möchte bitte den Manager sprechen. Ich möchte bitte den Hotelinhaber sprechen. Ich möchte bitte einen Arzt sehen! 5 Ich möchte ein Glas Wein trinken. Ich möchte ein Auto kaufen. Ich möchte Geld haben. Ich möchte nach Amerika fahren. Ich möchte zu Fuss gehen. Ich möchte Super tanken. Ich möchte im Ritz übernachten. Ich möchte die Short-Story lesen. Ich möchte die Rechnung bezahlen.

4 2 Könnten Sie mir bitte hundert Mark in französische Francs wechseln? or umtauschen? Könnten Sie mir bitte hundertfünfzig Mark in italienische Lire wechseln? Könnten Sie mir bitte zweihundert Mark in schweizer Franken wechseln? Könnten Sie mir bitte zweihundertfünfzig Mark in amerikanische Dollars wechseln? Könnten Sie mir bitte dreihundert Mark in japanische Yen wechseln? 3 Volltanken, bitte. Super. Könnten Sie bitte das Öl prüfen? Könnten Sie auch die Batterie prüfen? Könnten Sie das Wasser prüfen? Könnten Sie auch den Luftdruck prüfen? Was macht das?

5 1 Haben Sie Obst? Haben Sie Brot? Haben Sie Käse? Haben Sie Gemüse? Haben Sie Fleisch? Haben Sie Torten? Haben Sie Sahne? Haben Sie Weisswein? Haben Sie Zigaretten? Haben Sie Blumen? Haben Sie Orchideen? Haben Sie Zigarren? Haben Sie Spaghetti? Haben Sie eine Tragetasche? 2 Ich möchte den Stadtplan sehen. Ich möchte das Sonderangebot sehen. Ich möchte den Film sehen. Ich möchte das Baby sehen. Ich möchte Miss World sehen. Ich möchte die Speisekarte sehen. Ich möchte das Fernsehprogramm sehen. Ich möchte die Sinfonie hören. Ich möchte die Schallplatte hören. Ich möchte die Callas hören. Ich möchte das Radioprogramm hören. Ich möchte die Musik hören. 3 Für eine Woche. Für zwei Stunden. Für zwei Jahre. Für eine Nacht. Für zwei Wochen. Für einen Monat. Für drei Monate. 4 Ich möchte die *Sport-Reportage* sehen. Wann beginnt das Programm? Das Programm beginnt um siebzehn Uhr fünfzehn. Und wann ist das Programm zu Ende? Das Programm ist um achtzehn Uhr fünf zu Ende. *Buffalo Bill, der weisse Indianer.* beginnt um fünfzehn Uhr fünfundvierzig. ist um siebzehn Uhr fünfzehn zu Ende. *Der Pferdedieb.* beginnt um achtzehn Uhr fünfzehn. ist um neunzehn Uhr fünfzehn zu Ende. *Der Barbier von Sevilla.* beginnt um zwanzig Uhr fünfzehn. ist um zweiundzwanzig Uhr vierzig zu Ende. You have four chances to see the news at 15.10.; 18.10.; 19.45.; and 22.40.
5 Kopfschmerzen. etwas gegen Halsschmerzen? muss ich die Tabletten nehmen? Haben Sie etwas gegen Magenbeschwerden? Wie oft muss ich die Dragees nehmen?

6 1 tanzen. ins Theater. ein Bier. schwimmen. in die Oper. spazierengehen. Minigolf. zum Fussball. eine Stadtrundfahrt. ins Grüne. 2 Ja, das geht. Ja, das geht. Ja, das geht. Nein, das geht leider nicht. Nein, das geht leider nicht. Ja, das geht. Ja, das geht. Nein, das geht leider nicht. Nein, das geht leider nicht. Ja, das geht. Ja, das geht. Nein, das geht leider nicht. Nein, das geht leider nicht. Ja, das geht. Ja, das geht. Nein, das geht leider nicht.

17 1 Ja, ich photographiere gern *or* Nein, ich photographiere nicht gern.
Ja, ich schwimme gern *or* Nein, ich schwimme nicht gern. Ja, ich male
gern *or* Nein, ich male nicht gern. Ja, ich reite gern *or* Nein, ich reite
nicht gern. Ja, ich tanze gern *or* Nein, ich tanze nicht gern. Ja, ich
koche gern *or* Nein, ich koche nicht gern. Ja, ich singe gern *or* Nein, ich
singe nicht gern. Ja, ich spiele gern Tennis *or* Nein, ich spiele nicht
gern Tennis. Ja, ich fahre gern Auto *or* Nein, ich fahre nicht gern Auto.
Ja, ich lese gern Kriminalromane *or* Nein, ich lese nicht gern
Kriminalromane. Ja, ich gehe gern ins Theater *or* Nein, ich gehe nicht
gern ins Theater. **2** schwimme. schwimme. reite. reite nicht sehr gern.
lese. ich lese nicht sehr gern. arbeite. ich arbeite nicht sehr gern. male.
ich male nicht sehr gern. singe. Nein, ich singe nicht sehr gern.
photographiere. Nein, ich photographiere nicht sehr gern. esse. Nein,
ich esse nicht sehr gern Süsses. **4** A: Mögen Sie gern moderne Musik?
B: Nein, moderne Musik mag ich nicht so gern. Ich mag lieber
klassische Musik. A: Mögen Sie Science Fiction Romane? B: Nein,
Science Fiction Romane mag ich nicht so gern. Ich mag lieber
historische Romane. A: Mögen Sie Tragödien? B: Nein, Tragödien mag
ich nicht so gern. Ich mag lieber Komödien. A: Mögen Sie klassisches
Ballett? B: Nein, klassisches Ballett mag ich nicht so gern. Ich mag lieber
modernes Ballett. A: Mögen Sie gern Western? B: Nein, Western mag
ich nicht so gern. Ich mag lieber Krimis. A: Mögen Sie gern Rock?
B: Nein, Rock mag ich nicht so gern. Ich mag lieber Jazz.

18 1 Gefällt Ihnen der Mantel? Ja, der gefällt mir *or* Nein, der gefällt mir
nicht. Gefällt Ihnen das Kleid? Das gefällt mir (nicht). Gefällt Ihnen die
Bluse? Die gefällt mir (nicht). Gefällt Ihnen das Hemd? Das gefällt mir
(nicht). Gefallen Ihnen die Handschuhe? Die gefallen mir (nicht).
Gefallen Ihnen die Schuhe? Die gefallen mir (nicht). Gefällt Ihnen der
Rock? Der gefällt mir (nicht). Gefällt Ihnen die Krawatte? Die gefällt
mir (nicht). Gefallen Ihnen die Ketten? Die gefallen mir (nicht).
Gefällt Ihnen die Tasche? Die gefällt mir (nicht). Gefällt Ihnen die
Hose? Die gefällt mir (nicht). Gefällt Ihnen der Anzug? Der gefällt mir
(nicht). Gefällt Ihnen der Bikini? Der gefällt mir (nicht). **2** *Fat man:*
Grosse 56. Kann ich den bitte anprobieren? Der ist zu klein.
Haben Sie eine Nummer grösser? Der ist schon sehr gut. Haben
Sie diese Art in Braun? Was kostet der? Den nehme ich. *Thin student:*
Grosse 44. Kann ich die anprobieren? Die sind zu gross. Haben Sie
eine Nummer kleiner? Die sind mir zu teuer! Haben Sie etwas
Billigeres? Was kosten die? Ja, die nehme ich. *Elegant lady:* Grösse 40.
Kann ich das bitte anprobieren? Das gefällt mir gar nicht. Könnten Sie
mir noch ein anderes zeigen? Ja, das gefällt mir. Es ist sehr elegant.
Was kostet das? Das nehme ich.

19 1 . . . meinen Schirm verloren. . . . ihn hier liegenlassen? . . . meinen
Schirm verloren. . . . ihn hier liegenlassen? . . . meine Tasche verloren.
. . . sie hier liegenlassen? . . . meine Kamera verloren. . . . sie hier
liegenlassen? . . . meine Kamera verloren. . . . sie hier liegenlassen? . . .
meinen Mantel verloren . . . ihn hier liegenlassen? . . . meinen Hut
verloren. . . . ihn hier liegenlassen? . . . meinen Hut verloren . . . ihn hier
liegenlassen? . . . meine Handschuhe verloren. . . . sie hier
liegenlassen? . . . mein Feuerzeug verloren. . . . es hier liegenlassen?
. . . mein Feuerzeug. . . . es hier liegenlassen? **2** Das ist mein

Portemonnaie. Das ist meine Tüte. Das ist mein Schirm. Das ist mein Pass. Das ist meine Zeitung. Das ist mein Koffer. Das ist mein Gepäck. **3** meine Handtasche. Dienstag. Im Stadtpark. braun. aus Leder. ein Portemonnaie. vierzig Mark. Ich habe meinen Schirm verloren. Wann haben Sie den Schirm verloren? Am Mittwoch. Und wo haben Sie ihn verloren? In der Bahnhofstrasse. Wie sah er aus? Er ist blau und aus Nylon. Ich habe mein Portemonnaie verloren. Wann haben Sie das Portemonnaie verloren? Am Donnerstag. Und wo haben Sie es verloren? Im Botanischen Garten. Wie sah es aus? Es ist schwarz und aus Leder. Wieviel Geld war da drin? Ungefähr dreissig Mark. Ich habe meine Tragetasche verloren. Wann haben Sie die Tragetasche verloren? Am Freitag. Und wo haben Sie sie verloren? In der Königsallee. Wie sah sie aus? Sie ist weiss und aus Plastik. Was war drin? Eine Flasche Rotwein, sechs Eier, Brötchen und ein Hausschlüssel. Ich habe meine Armbanduhr verloren. Wann haben Sie die Armbanduhr verloren? Am Samstag. Und wo haben Sie sie verloren? Auf dem Sportplatz. Wie sah sie aus? Sie ist neu und aus Gold.

20

1 (1) Gehen Sie bitte in Zelle vier. (2) Darf ich Ihren Pass sehen? (3) Das macht achtundfünfzig Mark. (4) Haben Sie einen Termin? (5) Sie ist leider nicht da. (6) Könnten Sie bitte unterschreiben? (7) Der Fernseher ist im Frühstücksraum. (8) Wollen wir zusammen fahren?
2 Ich möchte zu Herrn Doktor Paul. Wann ist Montag nachmittag Sprechstunde? Sprechstunde ist nur nach Vereinbarung. Kann ich um vierzehn Uhr kommen? Ich möchte zu Herrn Doktor Klinger. Wann ist Dienstag vormittag Sprechstunde? Sprechstunde ist dienstags vormittags von acht bis zwölf Uhr. Kann ich um acht Uhr dreissig kommen? Ich möchte zu Herrn Doktor Söhnker. Wann ist Mittwoch vormittag Sprechstunde? Sprechstunde ist mittwochs vormittags von acht bis zehn Uhr. Kann ich um neun Uhr fünfzehn kommen? Ich möchte zu Herrn Doktor Pape. Wann ist Donnerstag vormittag Sprechstunde? Sprechstunde ist donnerstags vormittags von neun bis elf Uhr. Kann ich um neun Uhr fünfundvierzig kommen? Ich möchte zu Herrn Doktor König. Wann ist Donnerstag nachmittag Sprechstunde? Sprechstunde ist donnerstags nachmittags von siebzehn bis achtzehn Uhr. Kann ich um siebzehn Uhr dreissig kommen? Ich möchte zu Herrn Doktor Meier. Wann ist Freitag vormittag Sprechstunde? Sprechstunde ist freitags vormittags von acht bis zehn Uhr. Kann ich um acht Uhr fünfzehn kommen? Perdes. zehn Uhr. Klinger. acht Uhr dreissig. Söhnker. neun Uhr fünfzehn. Pape. neun Uhr fünfundvierzig. König. siebzehn Uhr dreissig. Meier. acht Uhr fünfzehn. **3** Ich möchte Soirée bei Paul Lincke hören. zwanzig Uhr. einundzwanzig Uhr dreissig. Ich möchte die Frank Mantis Group hören. zweiundzwanzig Uhr fünfzehn. zweiundzwanzig Uhr dreissig. Ich möchte Kookie Freemann und sein Velvet-Sound-Orchester hören. zweiundzwanzig Uhr fünfzig. dreiundzwanzig Uhr dreissig. **4** Haben Sie eine Bar? Haben Sie ein Schwimmbad? Haben Sie eine Sauna? Haben Sie einen Sportraum? Haben Sie einen Kindergarten? Haben Sie eine Bibliothek? Haben Sie ein Restaurant? Haben Sie eine Sonnenterrasse? Haben Sie einen Strand?

Key to comprehension: Lesen und Verstehen

11

Hemdkragen	shirt collars
weht kein Wind	no wind blows
die Beine	legs
der Bauch	tummy
Schach	chess
die Flut	tide

12

der abends leuchtet	that blazes with light in the evening
feste Plätze	season tickets
Schauspieler	actors
der Intendant	general administrator and artistic director
der Bühnenbildner	stage designer
Pauken	timpani
Ohrklips	earrings

13

selbst ist der Mann!	independence makes the man!
verheiratet	married
hat das Regal gestrichen	has painted the bookcase
Ehepaare	*Couples*, novel by John Updike
Kohlrabi	kale, cabbage turnip
schwitzt Willfried	Willfried sweats

14

stapelt das letzte Paket	stacks the last pack
das Freizeit-Hemd	'free time' shirt (to wear when not at work)
der Lehrling	apprentice
kennen	to know

15

tragen	to carry
aufpassen	to keep an eye on
der Kamm	comb

16

Trimm Dich Pfad	keep-fit track, course
Segelklub	sailing club
Radtour	cycle tour
der Stammtisch	table reserved for regular guests, usually playing cards or dice
Politische Arbeitsgemeinschaft	political working group
drehen	to turn
rückwärts, vorwärts	backwards, forwards
so was Doofes!	this is *stupid*!

17

schlank	slim
sie liest den Satz	she reads the sentence
er gefällt ihr	she likes it
jede Seite	every page
der Bildhauer	sculptor
glücklich	happy

18 Witwer — widowers
    leben — to live
    gesalzene Preise — prices that are a bit steep (*lit:* salty)
    von wem? — by whom? (who built . . . ?)
    das Krankenhaus — hospital
    der Friedhof — cemetery
    Augen — eyes

19 die Müllabfuhr — waste disposal service
    der Polstersessel — upholstered armchair
    das Schaufenster — shop window
    das ist der Lauf der Welt — that's the way of the world
    leise und leicht — silent and light
    nennen — to call
    Kaugummi — chewing gum
    BÜRGER SCHÜTZE DEINE UMWELT! — CITIZEN PROTECT YOUR SURROUNDINGS!

20 du bist zu dick — you're too fat
    Bierdeckeln — beer-mats
    die Aktion HEISSER STUHL — the HOT SEAT campaign
    unterbrechen — interrupt

Key to comprehension: Hören und Verstehen

11 ein Hotel garni — an hotel serving only breakfast
meistens Geschäftsleute — mostly businessmen
andere Gespräche — different conversations

12 was sind Sie von Beruf? — what is your job?
Mitglieder — members
am liebsten hat das Publikum — audiences like best
Proben mit Bühne und Orchester — rehearsals on stage with orchestra
in einer Stammkneipe — in the local

13 die Unterprima — equivalent of lower sixth form
das Semester — university term. There are two in each academic year
das Abitur — equivalent of 'A' level exams
. . . andere Menschen zu töten — . . . to kill other people
. . . meine Gründe erklären — . . . explain my reasons
. . . mehr für die Menschen tun — . . . do more for people

14 verheiratet — married
andere spielen 'Mensch ärgere dich nicht!' — others play ludo
viele Damen stricken — many ladies knit
sehr wenig — very few
was gibt es sonst noch? — what else is there?
dass ich eine Aufgabe habe — that I've got something to do

15 eine Schallplattensammlung — record collection
Hörspiele — radio plays
Beiträge — contributions
haben Sie Zeit? — have you time?
. . . macht dabei mit — . . . joins in them with me

16 die Kinder dürfen uns auch nicht stören — the children aren't allowed to disturb us either
einen Wacholder — a gin
und ob! — and how!
lustig — merry, jolly
besucht Freunde — visits friends

17 O Schreck! — terrible!
die Orgel — organ
das Cembalo — harpsichord
die Bratsche — viola *
die Posaune — trombone
üben — to practise

18	hilfsbereit	helpful
	ohne Sossen	without sauces
	das Einkommen	income
	Schlange stehen	to queue
	unbekannt	unknown
19	Findlinge	lost animals
	Pensionstiere	animals being boarded
	Hunde	dogs
	Vögel	birds
	der Besitzer	owner
	Heimweh	homesickness
	Freude	joy
	Mischlinge	mongrels
	sonst wäre ich auch wirklich hier fehl am Platze	otherwise I would be really out of place here
20	in einer Anlage	on a site
	keinen eigenen Garten	no garden of their own
	Tannen	fir trees
	Beerensträucher	fruit bushes
	eine Schaukel	a swing
	anschliessend wird getanzt	afterwards there's dancing

Glossary

Plural forms of nouns are given in brackets.
Abbreviations are: (m.) masculine; (f.) feminine;
(sing.) singular; (pl.) plural. The meanings
given apply only to the sense in which the
German words are used in the texts.

A

der Abend (-e) *evening;* Guten Abend!
  Good evening!; heute abend *this*
  evening; morgen abend *tomorrow*
  evening
  abends *in the evening*
das Abendkleid (-er) *evening dress*
  aber *but; also used for emphasis:* das
    tut mir aber leid! *I am sorry!;* das ist
    aber nett! *that's very nice of you!*
  abfahren *to leave (by means of transport)*
  abholen *to collect*
  abstellen *to switch off*
der Abzug (¨e) *copy*
die Adresse (-n) *address*
  aktiv *active*
  alle: alle drei Stunden *every three hours*
  alles *everything, all;* alles mögliche *all*
    sorts of things
  Allgemeinmedizin *general practice*
  also *so*
  alt *old*
  am *at the, on, on the, by the*
  Amerika *America*
  amerikanisch *American*
  an *at;* an welches Material hatten Sie
    gedacht? *what material were you*
    thinking of?
  anbieten *to offer*
  andere, anderen, anderes *other, another;*
    in einem anderen Hotel *in another*
    hotel
der Anfang (¨e) *beginning*
  angemeldet: Sie sind bei mir angemeldet
    your appointment is with me
der Angestellte (-n), ein Angestellter
    employee (m.)
die Angestellte (-n) *employee (f.)*
  anprobieren *to try on*
  anstellen *to switch on*
der Anzug (¨e) *suit*
der Apfel (¨) *apple*
die Apotheke (-n) *chemist's shop, pharmacy*
der Apotheker (-) *chemist*
  Appretur *special finish;* möchten Sie
    darein Appretur haben? *would you like*
    it with special finish?
das Aquarell (-e) *water colour*

  arbeite: ich arbeite gern *I like working*
die Arie (-n) *aria*
die Armbanduhr (-en) *wrist watch*
der Armreifen (-) *bracelet*
die Art (-en) *kind, style*
der Arzt (¨e) *doctor*
der Aschenbecher (-) *ashtray*
das Aspirin *aspirin*
die Assistentin (-nen) *assistant (f.)*
  auch *too, also, as well*
  auf *at, on;* auf welchen Namen? *in*
    whose name?
  aufgeben *to send*
  aufs: aufs Zimmer *in our room*
der Augenblick: einen Augenblick, bitte! *one*
    moment please!
  aus *out, out of, made of*
  ausfüllen *to fill in*
  ausgebucht *fully booked*
die Auskunft (¨e) *information*
  äussern: wie äussern sich denn . . .?
    what are the symptoms of . . . ?
  ausverkauft *sold out*
das Auto (-s) *car*
die Autobahn (-en) *motorway*

B

das Baby (die Babies) *baby*
das Bad (¨er) *bath*
der Bahnhof (¨e) *railway station*
der Ballettabend (-e) *ballet evening*
die Bank (-en) *bank*
der Barbier von Sevilla *The Barber of Seville*
    (opera by Rossini)
der Batist (-e) *batiste, cambric*
die Batterie (-n) *battery*
  bauen *to build, make*
die Bedienung *service*
  beginnen *to begin*
die Begrüssung (-en) *welcome*
  beheizt *heated*
  bei *at, with;* bei Karola *at Karola's*
  beige *beige* in Beige *in beige*
  beim *at the*
das Beispiel: Zum Beispiel *for example,*
    abbreviated z.B.
  bekommen *to get, receive*
  belegt *fully booked*
die Benutzung (-en) *use*
der Beruf (-e) *job*
  besohlen: ich möchte diese Schuhe
    besohlen lassen *I'd like to have these*
    shoes soled.
  besonders *particularly*
  besser *better;* wenn es nicht besser
    wird *if it doesn't get better*
  bestellen *to order, book*

bestellt: ich habe ... bestellt *I've booked ...*
besten: am besten *best*
der Besuch (-e) *visit*
besuchen *to visit*
das Bett (-en) *bed*
bezahlen *to pay*
die Bibliothek (-en) *library*
das Bier (-e) *beer*
der Bikini (-s) *bikini*
das Bild (-er) *picture, print*
Billigeres: etwas Billigeres *something cheaper*
bin: ich bin *I am*
bis *till;* bis wann? *by when?;* von acht bis zehn *from eight to ten*
bisschen: ein bisschen *a little, a bit*
bitte, bitte schön, bitte sehr *please, not at all* bitte schön? *can I help you?*
die Blasmusik *brass-band music*
blau *blue;* in Blau *in blue*
bleiben *to stay*
die Blockflöte (-n) *recorder*
die Blume (-n) *flower*
die Bluse (-n) *blouse*
die Bohne (-n) *bean*
botanisch *botanical*
die Boutique (-n) *boutique*
die Brasil (-zigarre, *pl.* -n) *Brazilian cigar*
brauchen *to need*
braun *brown;* in Braun *in brown*
die BRD: Bundesrepublik Deutschland *German Federal Republic*
der Brie *brie cheese*
der Brief (-e) *letter*
die Briefmarke (-n) *postage stamp*
die Brille (-n) *(pair of) glasses*
bringen *to bring*
das Brot (-e) *bread*
das Brötchen (-) *bread roll*
das Buch (-̈er) *book*
die Bundesbahn *Federal Railway*
das Büro (-s) *office*

C

das Café (-s) *coffee chop, café*
der Chor (-̈e) *choir*

D

da *there*
dabei: haben Sie das Zettelchen dabei? *have you got the ticket with you?*
dadrin *in it*
dafür *for it, for that*
die Dame (-n) *lady* Damenmoden *ladies' fashions*
Dank: ganz recht herzlichen Dank! *thank you very much;* vielen Dank! *many thanks!;* schönen Dank! *thank you very much!;* danke! *thank you!;* danke schön/danke sehr! *thank you very much!;* ich danke auch *lit: I thank you too;* ich danke Ihnen! *lit: I thank you!*
danken *to thank;* nichts zu danken *not at all*
dann *then*
darein: *see* Appretur
darf: darf ich dann einmal Ihren Namen wissen? *may I have your name then please?;* darf ich das mal sehen? *may I see it?;* was darf es sein? *what would you like?*
das *the, that, it, this one, that one*
dauern *to last*
davon *of it, of them*
dazu *with it, in addition*
dem *the, this one, that one*
den *the, this one, that one*
denn *well, then*
der *the, it, this one, that one*
deutsch *German*
Deutsche Mark (DM) *German mark*
Deutschland *Germany*
dick *fat*
die *the, it, this one, that one, these, those*
Dienstag *Tuesday*
diese *this, these*
diesen, dieser, dieses *this*
direkt *direct*
die Diskothek (-en) *discotheque*
die Diskussion (-en) *discussion, debate*
doch: *word used for emphasis:* da ist doch nichts Interessantes *there's nothing interesting there*
der Dollar (-s) *dollar*
Donnerstag *Thursday*
das Doppelzimmer (-) *double room*
dort *there;* dort drüben *over there*
die Dose (-n) *tin*
das Dragée (-s) *pill*
das Drama (Dramen) *play*
drankommen: könnte ich jetzt drankommen? *could I have it done now?*
dreimal *three times, three of*
drin *in it*
dritten *third*
drüben *over there*
dunkel *dark*
der Durchfall *diarrhoea*
durchwählen *to dial direct*
dürfte: es dürfte nicht ganz einfach sein *it might not be very easy*
die Dusche (-n) *shower*

E

eben *just*

das Ei (-er) *egg*

eigen *own*

ein, eine, einen, einer, einem *a, an, one*

eineinhalb *one and a half*

einfach *simple, easy;* ein einfaches Zimmer *just a room*

eingebügelt: möchten Sie da die Falten eingebügelt haben? *would you like it repleated?*

einige *some*

einkaufen *to go shopping*

einlösen *to change (a traveller's cheque)*

einmal *once, one of; also a filler word:* darf ich dann einmal Ihren Namen wissen?

einverstanden! *agreed!*

das Einzelzimmer (-) *single room*

die Elektronik *electronics*

die Empfangsdame (-n) *receptionist*

empfehlen *to recommend*

das Ende *end;* wann ist es zu Ende? *what time does it finish?*

englisch *English*

entschuldigen: entschuldigen Sie *excuse me*

entwickeln *to develop*

er *he, it*

ernst *serious*

erste, ersten *first*

es *it*

essen *to eat;* essen gehen *to go out for a meal*

das Essen (-) *meal*

die Etage (-n) *floor*

etwa *approximately*

etwas *something, rather;* etwas teurer *a bit more expensive;* noch etwas *one more thing*

evangelisch *protestant*

F

fahren *to go (by means of transport), to drive*

der Fahrplan (-e) *timetable*

das Fahrrad (-er) *bicycle;* ich fahre mit dem Fahrrad *I go cycling*

die Fahrt (-en) *journey, drive*

das Fahrzeug (-e) *car, vehicle*

die Falte (-n) *pleat*

der Faltenrock (-e) *pleated skirt*

die Familienfeier (-n) *family gathering*

die Farbe (-n) *colour*

fast *almost*

faulenzen *to laze around*

fein *fine*

das Fenster (-) *window*

fernsehen *to watch television;* ich sehe fern *I watch television*

das Fernsehen *television*

der Fernseher (-) *television set*

das Fernsehprogramm (-e) *television programme*

der Fernsehraum (-e) *television room*

fertig *ready*

der Film (-e) *film*

filmen *to make films*

Filter: mit Filter *tipped*

findet: . . . findet um 11 Uhr statt *takes place at 11 o'clock*

finnisch *Finnish*

die Firma (Firmen) *firm, business*

der Fisch (-e) *fish*

der Fischmarkt (-e) *fish market*

die Flasche (-n) *bottle*

das Fleisch *meat*

der Flughafen (-) *airport*

der Flugplan (-e) *plane timetable*

das Formular (-e) *form*

der Franc (-s) *franc (French currency)*

der Franken (-) *franc (Swiss currency)*

französisch *French*

die Frau (-en) *woman, wife* Frau Lyon *Mrs. Lyon*

das Fräulein *girl;* Fräulein Hansen *Miss Hansen*

frei *free*

das Freibad (-er) *open air swimming-pool*

Freien: im Freien *in the open*

Freitag *Friday*

die Freizeit *spare time*

die Fresie (-n) *freesia*

freue: ich freue mich *I look forward to it*

freundlich *kind;* sehr freundlich von Ihnen! *that's very kind of you!*

der Friseur (-e) *hairdresser, barber*

die Friseuse (-n) *hairdresser (f.)*

früh *early*

Frühlings-Erwachen *Spring Awakening (play by Wedekind)*

das Frühstück *breakfast* zum Frühstück *for breakfast*

der Frühstücksraum (-e) *breakfast room*

das Frühstückszimmer (-) *breakfast room*

das Fundbüro (-s) *lost-property office*

fünfmal *five times, five of*

der Fünfzigmarkschein (-e) *50 mark note*

der Funk *radio*

der Funkamateur (-e) *radio ham*

für *for*

der Fussball *football*

G

ganz *very, quite*

gar: gar kein Zimmer mehr frei   *no more rooms left at all*
gar nicht   *not at all*
garantieren   *to guarantee*
der Garten (⁻)   *garden*
der Gast (⁻e)   *guest*
die Gaststätte (-n)   *restaurant*
geben   *to give*
die Gebühr (-en)   *fee*
gedacht: an welches Material hatten Sie gedacht?   *what material were you thinking of?*
gefallen: gefallen sie Ihnen?   *do you like them?;*   die gefallen mir   *I like them*
gefällt: gefällt er Ihnen?   *do you like it?*   er gefällt mir   *I like it*
gefunden: haben Sie . . . gefunden?   *have you found . . . ?*
gegen   *against;*   gegen 5 Uhr   *about 5 o'clock;*   etwas gegen Halsschmerzen   *something for a sore throat*
gehen   *to go*
geht: das geht in Ordnung!   *that's OK!;*   geht auch   *that's OK too;*   das geht nicht   *that's no good*
die Geige (-n)   *violin*
das Geld   *money*
gemahlen   *ground (coffee)*
das Gemüse (-)   *vegetable*
das Gepäck   *luggage*
gerade   *now, at the moment*
gern, gerne   *of course, certainly;*   ich möchte gern . . .   *I'd like . . . ;*   ich schwimme gern   *I like swimming;*   ich fahre gerne Auto   *I like driving*
das Geschäft (-e)   *shop, place of business*
geschieden   *divorced, separated*
gestern   *yesterday*
die Gesundheit   *health*
gibt: es gibt   *there is, there are*
die Gitarre (-n)   *guitar*
glänzend   *glossy*
das Glas (⁻er)   *glass*
glaube   *to think, believe*
gleich   *same, similar*   wie ist noch gleich Ihr Name?   *what is your name again?*
das Gold   *gold*
die Götterspeise (-n)   *a kind of pudding, lit: food of the gods*
gratis   *free*
gross   *big, great*
die Grösse (-n)   *size*
grösser   *bigger, larger*
grün   *green;*   in Grün   *in green;*   ins Grüne   *into the country*
das Gulasch   *goulash*
die Gummisohle (-n)   *rubber sole*
gut, gute, guten   *good*

H

das Haar (*sing.*), die Haare (*pl.*)   *hair (both can be used)*
haben   *to have*
halb: halb drei   *half past two;*   halb vier   *half past three*
hallo!   *hallo!*
das Hals-Nasen-Ohrenleiden   *throat, nose and ear complaints*
die Halsschmerzen (*pl.*)   *sore throat   lit: throat pains*
handarbeiten   *to do handicrafts*
der Handschuh (-e)   *glove*
die Handtasche (-n)   *handbag*
Hannover   *Hanover*
hat: er, sie es hat   *he, she, it has*
hätte: da hätte ich hier . . .   *I have here . .*
das Haus (⁻er)   *house;*   hinter dem Hause   *at the back of the hotel   lit: house;*   . . . ist leider nicht im Hause   *. . . isn't in, I'm afraid*
der Hausschlüssel (-)   *front-door key*
die Havana (-s)   *Havana cigar*
heissen   *to be called;*   ich heisse . . .   *my name is . . .*
helfen   *to help*
heller   *brighter, lighter*
das Hemd (-en)   *shirt*
der Hemdenpullover (-)   *V-necked sweater*
her: das ist drei Tage her   *it was three days ago*
heraus   *out*
hereinholen   *to bring in*
der Herr (-en)   *man, Mr.;*   Herr Hirsch   *Mr. Hirsch;*   Herrenmoden   *men's fashions*
heute   *today;*   heute abend   *this evening;*   heute nachmittag   *this afternoon;*   heute nacht   *tonight;*   heute vormittag   *this morning*
hier   *here*
hiermit   *with this*
hinaus: der Page kommt mit hinaus   *the bell-boy will come out with you*
hinter   *behind, at the back of*
historisch   *historical*
das Hobby (Hobbies)   *hobby*
der Holländer   *Dutch cheese*
die Holzkrücke (-n)   *curved wooden handle*
hören   *to hear, to listen to*
die Hose (-n)   *trousers*
das Hospital (⁻er)   *hospital*
das Hotel (-s)   *hotel*
der Hotelinhaber (-)   *hotel proprietor*
das Hotelzimmer (-)   *hotel room*
hu: hu ja!   *ugh!*
hübsch   *pretty*

der Hundertmarkschein (-e) *100 mark note*
der Hut ("e) *hat*

I

ich *I*
der Idealpartner (-) *ideal partner*
die Idee (-n) *idea*
Ihnen *to/for you*
Ihr, Ihre, Ihren, Ihrer *your*
im *in the*
immer *always*
in *in*
der Inhalt (-e) *contents*
inklusive *inclusive*
ins *into the, to the;* ins Grüne *into the country;* ins Theater *to the theatre*
der Intercity *Inter-City (train)*
Interessantes: nichts Interessantes *nothing interesting*
das Interesse (-n) *interest*
interessiere: ich interessiere mich für Elektronik *I am interested in electronics*
interessiert *interested*
der Internist (-en) *specialist for internal diseases*
irgendwo *somewhere*
ist *is*
italienisch *Italian*

J

ja *yes; also used for emphasis:* das ist sie ja! *that's them!*
die Jacke (-n) *jacket*
das Jackett (-e) *jacket*
das Jahr (-e) *year*
jährlich *yearly*
japanisch *Japanese*
je: o je! *oh dear!*
die Jeans (*pl*) *jeans*
jeden *each, every*
jetzt *now*
das Jugendstück (-e) *children's play*

K

der Kabeljau (-s) *cod*
das Kabeljaufilet (-s) *cod fillet*
die Kabine (-n) *fitting room*
der Kaffee *coffee*
das Kalbfleisch *veal*
die Kamera (-s) *camera*
der Kamm ("e) *comb*
das Kammerkonzert (-e) *chamber music concert*
kann: kann ich . . . ? *can I . . . ?;* kann ich Ihnen helfen? *can I help you?;* das kann sein *it could be*

die Kantine (-n) *canteen*
kaputt *worn out*
die Karotte (-n) *carrot*
die Karte (-n) *ticket, card*
der Käse (-) *cheese*
die Käsesahne (-torte) *cheese cake, gateau*
die Kasse (-n) *cash desk*
der Kassenpreis (-e) *seat price*
katholisch *catholic*
kaufen *to buy*
kein, keine, keinen *no, not any*
die Keller-Bar *cellar bar*
die Kellnerin (-nen) *waitress*
kennen *to know;* kennen Sie sich schon lange? *have you known each other long?;* wir kennen uns seit fünfzehn Jahren *we've known each other for fifteen years*
die Kette (-n) *necklace*
das Kind (-er) *child*
der Kindergarten (") *kindergarten*
das Kinderheim (-e) *children's home*
das Kino (-s) *cinema*
Klasse! *great!*
klassisch *classical*
das Klavier (-e) *piano*
das Kleid (-er) *dress*
der Kleiderbügel (-) *coat-hanger*
klein *little, small*
kleiner *smaller*
klimatisiert *air-conditioned*
knobeln *to play dice*
der Knoblauch *garlic*
kochen *to cook*
der Koffer (-) *suitcase*
Köln *Cologne*
komisch *comic*
kommen *to come;* Sie kommen um 12.36 Uhr an *you arrive at 12.36*
die Komödie (-n) *comedy*
der Komponist (-en) *composer*
die Konferenz (-en) *conference*
können *to be able to;* können wir . . . ? *can we . . . ?;* Sie können . . . *you can . . .*
könnte: könnte ich . . . ? *could I . . . ?*
könnten: könnten Sie . . . ? *could you . . . ?;* könnten wir . . . ? *could we . . . ?*
der Kontakt (-e) *contact*
das Konzert (-e) *concert*
die Konzertkarte (-n) *concert ticket*
die Kopfschmerzen (*pl.*) *headache lit: head pains*
die Kosmetika (*pl.*) *cosmetics*
kostenlos *free*
kosten *to cost*
der Kragen (-) *collar*

der Krankenschein (-e) *medical certificate*
die Krawatte (-n) *tie*
der Kredit (-e) *loan*
 kreuzen: kreuzen Sie an *mark with a cross*
der Krimi (-s) *detective film/story*
der Kriminalroman (-e) *detective story*
der Küchenchef (-s) *head cook*
die Kundin (-nen) *customer (f.)*
der Kurs (-e) *rate of exchange*
 kurz: kurz vor acht *just before eight*

L

lang, lange *long, for a long time;* für
 wie lange? *for how long?*
langsam *slowly*
lassen *to have (something) done, to let;*
 ich möchte diese Sachen reinigen lassen
 I'd like to have these things cleaned;
 ich möchte diesen Film entwickeln
 lassen *I'd like to have this film
 developed;* eine Tablette im Munde
 langsam zergehen lassen *let one
 tablet dissolve slowly in the mouth.*
läuft: im Kino läuft ein guter Film *there's
 a good film on at the cinema*
das Leder *leather*
die Ledersohle (-n) *leather sole*
 ledig *unmarried*
 legen *to set;* ich möchte mir das Haar
 legen lassen *I'd like to have my hair set*
 leicht *lightweight*
 leid: das tut mir aber leid! *I am sorry!*
 leider *unfortunately*
 leiten *to conduct*
 lesen *to read*
die Leute (*pl.*) *people*
 lieben *to love*
 lieber *rather, preferably;* ich spiele lieber
 Tennis *I prefer to play tennis*
der Liebesroman (-e) *love story*
das Lied (-er) *song*
die Liegekarte (-n) *sleeper ticket*
 liegen *to lie, be situated*
 liegenlassen: habe ich . . . liegenlassen?
 did I leave . . . behind?
 links *to/on the left*
der Lippenstift (-e) *lipstick*
die Lira (Lire) *lira (Italian currency)*
die Literatur (-en) *literature*
der Luftdruck (-̈e) *tyre pressure*
 Lust: haben Sie Lust . . . ? *would you
 like . . . ?*

M

machen *to make, do*
macht: das macht . . . *that comes to . . .*
mag: ich mag gern . . . *I like . . .*

die Magenbeschwerden *(pl.)* *stomach upset
 lit: stomach troubles*
mal *sometimes, by;* 7 mal 10 *7 by 10;*
 also a filler word: darf ich das mal sehen?
Mal: zum letzten Mal *last performance,
 for the last time*
malen *to paint*
der Manager (-) *manager*
manchmal *sometimes*
das Mandolinenorchester (-) *mandolin
 orchestra*
Manitou: Wir suchen Manitou *We're
 looking for Manitou (children's play by
 Axt/Lorenz)*
der Mann (-̈er) *man*
der Mantel (-̈) *coat*
die Mark (-) *mark (currency)*
das Material (-ien) *material*
die Matineevorstellung (-en) *matinée
 performance*
matt *matt*
das Medikament (-e) *medicine, remedy*
das Meeting (-s) *meeting*
mehr *more;* gar kein Zimmer mehr frei
 no more rooms left at all; nicht mehr
 no longer; nichts mehr *nothing left.*
mehrere *several*
die Mehrwertsteuer *VAT*
mein, meine, meinen *my, mine*
meistens *mostly, usually*
der Mensch (-en) *person (pl. people)*
mich *me*
die Milch *milk*
der Mini (-s) *Mini (car)*
die Minute (-n) *minute*
mir *to/for me*
mit *with*
der Mittag *midday*
das Mittagessen *lunch, midday meal*
mittags *around midday*
die Mitte (-n) *middle, centre*
die Mitternacht *midnight*
Mittwoch *Wednesday*
möchte: ich möchte . . . *I'd like . . .*
möchten Sie lieber . . . ? *would you
 rather . . . ?;* wir möchten . . . *we'd
 like . . .*
modern *modern*
modisch *fashionable, stylish*
mögen *to like;* mögen Sie gern . . . ?
 do you like . . . ?
möglich *possible;* alles mögliche *all
 sorts of things*
möglichst: möglichst schnell *as soon as
 possible*
der Moment (-e) *moment;* einen Moment,
 bitte! *one moment please;*
 im Moment *at the moment*

der Monat (-e) *month*
monatlich *monthly*
Montag *Monday*
der Morgen *morning;* Guten Morgen!
Good morning!
morgen *tomorrow;* morgen abend
tomorrow evening; morgen mittag
midday tomorrow
der Mosel (-wein) *Moselle (wine)*
das Motiv (-e) *subject, theme*
das Motorrad (¨e) *motorbike*
München *Munich*
der Mund (¨er) *mouth;* im Munde *in the
mouth*
das Museum (Museen) *museum*
die Musik (-) *music*
die Musiksendung (-en) *music programme*
musizieren *to play music*
muss: muss ich . . . ? *do I have to . . ?*
müssen *to have to*
Mutter Courage *Mother Courage (play by
Brecht)*

N
nach *to, after*
der Nachmittag (-e) *afternoon*
nachmittags *in the afternoons*
die Nachrichten *(pl.)* *news*
nachschauen *to look;* ich schaue mal
nach *I'll have a look;* nachsehen *to
look;* wollen wir mal nachsehen?
shall we just have a look?
nächste, nächsten *next*
die Nacht (¨e) *night*
die Nähe *neighbourhood;* in der Nähe
nearby
nähen *to stitch, sew*
der Name (-n) *name;* wie ist Ihr Name?
what is your name?; auf welchen
Namen? *in whose name?*
natürlich *naturally, of course*
nee *no*
nehmen *to take*
nein *no*
nett *nice*
neu *new*
der Neurologe (-n) *neurologist*
nicht *not*
Nichtraucher *non-smoking compartment*
nichts *nothing*
noch *still, another;* noch einmal
again; noch etwas *one more thing;*
noch ein paar . . . *a few more . . .;*
noch nicht *not yet;* noch zwei Tage
two more days.
Normal *economy grade petrol*
normalerweise *usually*
null *nought*

die Nummer (-n) *number, size*
nur *only, just*
die Nurse *nanny*

O
o! *oh!*
ob *whether*
oben *above, on top*
der Ober (-) *waiter, lit: head waiter;*
Herr Ober! *Waiter!*
das Obst *fruit*
oder *or*
oft *often*
ohne *without*
das Öl (-e) *oil*
die Oper (-n) *opera*
die Operette (-n) *operetta*
der Opernbesuch (-e) *going to the opera*
das Opernhaus (¨er) *opera-house*
die Orange (-n) *orange*
das Orchester (-) *orchestra*
die Orchidee (-n) *orchid*
Ordnung: das geht in Ordnung! *that's
OK!*
der Ort (-e) *place*
die Ostsee *Baltic Sea*

P
paar: noch ein paar . . . *a few more . . .*
packe: ich packe es Ihnen zusammen *I'll
wrap it up for you*
die Packung (-en) *packet*
der Page (-n) *bell-boy*
die Panne (-n) *breakdown;* ich habe eine
Panne *my car's broken down*
die Paprikagemüse *(pl.)* *vegetable dish with
paprika*
parken *to park*
das Parkett *stalls*
der Parkplatz (¨e) *car-park*
die Party (Parties) *party*
der Pass (¨e) *passport*
die Patientin (-nen) *patient (f.)*
Perlimplin: In seinem Garten liebt Don
Perlimplin Belisa *lit: In his garden
Don Perlimplin loves Belisa (opera by
Fortner)*
der Pfennig (-e) *pfennig ($\frac{1}{100}$ of a mark)*
der Pferdedieb (-e) *horse-rustler*
das Pfund *pound (currency)*
das Photogeschäft (-e) *photographer's shop*
photographieren *to photograph*
der Plan (¨e) *map*
die Plastik (-en) *plastic*
der Platz (¨e) *seat, place;* wenn Sie noch
einen Moment Platz nehmen wollen,
bitte *if you'd like to take a seat for a
moment please*

die Platzkarte (-n)   *ticket for reserved seat*
die Politik   *politics*
der Popelin (-e)   *poplin*
die Popmusik   *pop music*
das Portemonnaie (-s)   *purse*
der Portier (-s)   *hotel porter*
die Post   *post, post office*
die Postkarte (-n)   *postcard*
die Postleitzahl (-en)   *postal code*
der Praktiker (-)   *practitioner*
   preiswert   *cheap, good value*
die Premiere (-n)   *premiere*
   prima!   *great!, super!*
der Prinzipalmarkt   *main street in Münster*
pro   *per*
der Problemfilm (-e)   *documentary*
das Programm (-e)   *programme*
die Promenade (-n)   *promenade*
der Prospekt (-e)   *booklet, brochure*
das Prospektchen (-)   *leaflet*
   prüfen   *to check*
der Pudding (-e)   *pudding*
der Pullover (-)   *pullover*
   pünktlich   *punctually*

Q

die Quittung (-en)   *receipt*

R

das Rad ("er)   *bicycle;*   ich fahre Rad   *I go
      cycling*
das Radio (-s)   *radio*
das Radioprogramm (-e)   *radio programme*
der Rang ("e)   *circle;*   I Rang   *dress circle;*
      II Rang   *upper circle;*   III Rang
      gallery
das Rathaus ("er)   *town-hall*
der Rathaussaal (-säle)   *large room,
      auditorium in town-hall.*
die Ratten   *The Rats (play by Hauptmann)*
   Raucher   *smoking compartment*
   'raus   *out (short for* heraus*)*
die Rechnung (-en)   *bill*
   recht: das ist recht   *that's all right;*   ist
      Ihnen . . . recht?   *does . . . suit you?*
die Reihe (-n)   *row*
   reinigen   *to clean*
die Reinigung   *dry-cleaner's*
die Reise (-n)   *journey;*   auf Reisen   *away
      (travelling)*
der Reisescheck (-s)   *traveller's cheque*
   reiten   *to ride*
der Reitklub (-s)   *riding club*
   reservieren   *to book*
das Restaurant (-s)   *restaurant*
die Rezeption   *reception*
der Rheinwein   *Rhine wine*
der Rock ("e)   *skirt*

der Rollkragen (-)   *roll-collar*
der Roman (-e)   *novel*
der Romméklub (-s)   *rummy club*
der Röntgenologe   *radiographer*
   rosa   *pink;*   in Rosa   *in pink*
die Rose (-n)   *rose*
   rot   *red;*   in Rot   *in red*
der Rotwein (-e)   *red wine*
   rufe: dann rufe ich noch einmal an   *I'll
      ring back then*
   Ruhe!   *quiet!*
   ruhig   *peaceful, quiet*

S

die Sache (-n)   *thing*
die Sacher(-torte)   *type of chocolate gateau*
   sagen   *to say;*   sagen wir   *let's say*
   sah: wie sah der Schirm denn aus?   *what
      did the umbrella look like?*
   sahen: wie sahen sie aus?   *what did they
      look like?*
die Sahne   *cream*
   Samstag   *Saturday*
die Sauna (-s)   *sauna*
   schade!   *pity!;*   wie schade!   *what a
      pity!*
die Schallplatte (-n)   *record*
der Schalter (-)   *counter*
   schaue: ich schaue mal eben nach   *I'll
      just have a look*
der Schein (-e)   *note (currency)*
   schicken   *to send*
der Schirm (-e)   *umbrella*
   schlafen   *to sleep*
das Schloss ("er)   *castle*
der Schlüssel (-)   *key*
   schmecken *(used when talking about food
      and drink):* schmecken Ihnen die
      Würstchen?   *do you like the sausages?;*
      die Würstchen schmecken mir   *I like the
      sausages*
   schmeckt *(used when talking about food
      and drink):* schmeckt Ihnen der Wein?
      do you like the wine?;   der Wein
      schmeckt mir   *I like the wine*
das Schnäpschen   *small (glass of) schnapps*
   schneiden   *to cut*
   schnell   *fast;*   möglichst schnell   *as soon
      as possible*
die Schokolade (-n)   *chocolate*
   schon: der ist schon sehr gut   *that's quite
      nice*
   schön   *nice, beautiful;*   ist schön   *that's
      fine*
   schreiben   *to write*
der Schuh (-e)   *shoe*
der Schuhmacher (-)   *shoe-maker*
   schwarz   *black*

die Schwarzwälder Kirsch (-torte) *'Black forest' cherry gateau*

der Schwarzweissfilm (-e) *black and white film*

das Schweinefleisch *pork*

schweizer *Swiss*

der Schweizer (-Käse) *Swiss cheese*

das Schwimmbad (¨er) *swimming pool*

schwimmen *to swim*

sehen *to see*

sehr *very*

sein *to be*

seit: seit fünfzehn bis zwanzig Jahren *for fifteen to twenty years*

die Seite (-n) *side*

die Sekretärin (-nen) *secretary*

selbst *self;* ich selbst *I myself*

selbstverständlich! *of course, certainly!*

die Sendung (-en) *programme*

senior *senior*

die Short-Story (-Stories) *short story*

sie *she, it, they, them*

Sie *you*

sind *are*

die Sinfonie (-en) *or* Symphonie *symphony*

singen *to sing*

sitzen *to sit*

so *so, well, like this;* so gegen 13 Uhr *round about 1 o'clock*

sofort *immediately, right away*

sogar *even*

die Sohle (-n) *sole*

soll: was für ein Zimmer soll das sein? *what kind of room were you thinking of?;* wo soll das Hotel denn liegen? *where would you like the hotel to be?;* Ihr Idealpartner soll die gleichen Interessen haben *your ideal partner should have similar interests.*

sollen: sollen wir es da mal versuchen? *shall we try there?*

sollte: sollte er . . . sein? *would you like . . . ? lit: should it be . . . ?*

sollten: davon sollten Sie zwei nehmen *you should take two of them*

das Sonderangebot (-e) *special offer*

die Sonnenbrille (-n) *(pair of) sunglasses*

der Sonnentag (-e) *sunny day*

die Sonnenterrasse (-n) *sun-terrace*

Sonntag *Sunday*

sonst: haben Sie sonst noch einen Wunsch? *would you like anything else?*

die Spaghetti *(pl.)* *spaghetti*

spazierenfahren *to go for a drive*

spazierengehen *to go for a walk*

die Speisekarte (-n) *menu*

die Spezialität (-en) *speciality*

spielen *to·play*

der Sport (-arten) *sport;* Sport treiben *to go in for sport*

der Sportplatz (¨e) *sports ground*

der Sportraum (¨e) *gym*

die Sport Reportage (-n) *sports report*

die Sportsendung (-en) *sports programme*

die Sportveranstaltung (-en) *sporting events*

sprechen *to speak;* ich möchte Fräulein Hansen sprechen *I'd like to speak to Miss Hansen*

die Sprechstunde *surgery;* ich möchte gerne in die Sprechstunde *I'd like to see the doctor/have a consultation*

die Sprechstundenhilfe (-n) *doctor's assistant*

die Stadt (¨e) *town*

der Stadtpark (-s) *municipal park*

der Stadtplan (¨e) *town map*

die Stadtrundfahrt (-en) *city sightseeing tour*

der Stammtisch (-e) *table reserved for regular guests*

stehen *to stand;* wir haben unser Fernsehen im Frühstückszimmer *we've got our television in the breakfast room*

steht: was steht denn auf dem Programm? *what's on the programme?*

stelle: ich stelle Ihnen dafür eine Quittung aus *I'll make you out a receipt for it*

die Stimme (-n) *voice*

der Stock (¨e) *floor;* im ersten Stock *on the first floor*

die Strasse (-n) *street, road*

das Stück (-e) *piece;* 5 DM das Stück *5 marks each;* 100 Stück Aspirin *100 aspirins*

die Stunde (-n) *hour*

stündlich *hourly*

suchen *to look for*

süffig *drinkable (of wine)*

Super *high grade petrol*

die Suppe (-n) *soup*

Süsses *sweet things*

das Symphoniekonzert (-e) *symphony concert*

T

die Tablette (-n) *tablet*

der Tag (-e) *day;* Guten Tag! *Good day!*

täglich *daily*

tanken *to fill up (petrol tank)*

die Tankstelle (-n) *petrol station*

der Tankwart (-e) *petrol-pump attendant*

tanzen *to dance*

die Tasche (-n) *bag*

das Taxi (-s) *taxi*

der Tee *tea*
    Teil: zum grössten Teil *for the most part,*
      on the whole
das Telefon (-e) *telephone*
das Telefonbuch (¨er) *telephone directory*
    telefonieren *to telephone*
die Telefonzelle (-n) *telephone booth*
das Telegramm (-e) *telegram*
    Teletips für die Gesundheit *TV tips for*
      your health (title of TV programme)
das Tennis *tennis*
der Termin (-e) *appointment*
    teuer *expensive*
    teurer *more expensive*
das Theater (-) *theatre*
die Theaterbar (-s) *theatre bar*
der Theaterbesuch (-e) *going to the theatre*
die Theaterkarte (-n) *theatre ticket*
die Theaterkasse (-n) *theatre box-office*
das Tier (-e) *animal*
das Tischtennis *table tennis*
    Tod: Dantons Tod *Danton's Death (play*
      by Büchner)
die Tonbandaufnahme (-n) *tape recording*
die Torte (-n) *cake, gateau*
    trage: ich trage es ein *I'll enter it in the*
      book
    tragen: tragen Sie sich bitte ein *would*
      you sign the register please
    tragen *to wear;* welche Grösse tragen
      Sie? *what size do you take?*
die Tragetasche (-n) *carrier-bag*
die Tragikomödie (-n) *tragic comedy*
die Tragödie (-n) *tragedy*
    treffen *to meet;* wo treffen wir uns?, wo
      wollen wir uns treffen? *where shall we*
      meet?
der Treffpunkt (-e) *meeting point;*
    Treffpunkt Ü-Wagen 4 *meeting point*
    OB (outside broadcast) van 4 (title of
    TV programme)
    treiben: Sport treiben *to go in for sport*
    trimm: trimm dich *keep fit*
    trinken *to drink*
die Trompete (-n) *trumpet*
    Tschüs! *'bye!*
das T-Shirt (-s) *T-shirt*
    tun *to do*
    tut: das tut mir aber leid! *I am sorry!*
die Tüte (-n) *bag*

U
    übel: mir ist übel *I feel sick*
    über *about*
der Überblick (-e) *survey*
    übernachten *to stay overnight*
die Übung (-en) *exercise*
    Uhr: um 10 Uhr *at 10 o'clock*

    um: um 10 Uhr *at 10 o'clock*
    umsehen: ich möchte mich nur umsehen
      I'm just looking
    umtauschen *to exchange (money, etc.)*
    und *and*
    ungefähr *approximately*
die Universität (-en) *university*
    uns *to/for us;* wo treffen wir uns?
      where shall we meet?
    unser, unseren *our*
    unten *below, underneath*
    unterhalten: wir unterhalten uns *we chat*
die Unterhaltungsmusik *light music*
die Unterhaltungssendung (-en) *light*
    entertainment programme
    unterschreiben *to sign*
    untypisch *untypical, unusual*
der Urlaub (-e) *holiday*

V
die Verabredung (-en) *date*
die Vereinbarung (-en) *arrangement*
    vergessen: ich habe . . . vergessen *I've*
      forgotten . . . ; die Karten nicht
      vergessen! *don't forget the tickets!*
die Verkäuferin (-nen) *shop assistant (f.)*
der Verkehrsverein (-e) *tourist office*
    verloren: ich habe . . . verloren *I've lost . . .*
der Verstärker (-) *amplifier*
    verstehen *to understand*
    versuchen *to try;* ich versuche *I'll try;*
      versuchen Sie es bitte einmal im
      Hamtor Hotel *try the Hamtor Hotel*
    verwitwet *widowed*
    viel *much, a great deal, a lot*
    vielleicht *perhaps*
    viermal *four times, four of*
die Violine (-n) *violin*
das Vitamin (-e) *vitamin*
das Volkslied (-er) *folksong*
die Volksmusik *folk music*
    Volkstanz der Welt. Turkei *Folkdances of*
      the World. Turkey (title of TV
      programme)
    von *from, of, by*
    vor *in front of, before* haben Sie heute
      abend etwas vor? *are you doing*
      anything this evening?
    vorbei: ich komme vorbei *I'll call in*
    vorbestellen *to order (in advance), book*
    vorm *in front of the*
    vormittags *in the mornings*
der Vorname (-n) *Christian name*
    vorne: da vorne *in front there*
    vorschlagen *to suggest;* dann würde ich
      vorschlagen *then I'd suggest*
die Vorstellung (-en) *performance*
die Vorwählnummer (-n) *dialling code*

W

der Wagen (-) *car*
wandern *to go on long walks, hiking*
wann? *when?*
war *was*
wäre: hier wäre . . . *here for example is . . .;* dann wäre hier eine in Rosa *then there's a pink one for example*
waren: es waren *there were*
warten *to wait*
das Wartezimmer (-) *waiting-room*
was? *what? how much?*
was für . . . ? *what kind of . . . ?*
waschen *to wash*
das Wasser *water*
das WC *wc, toilet*
wechseln *to change*
wecken *to wake (someone)*
der Weg (-e) *way*
der Wein (-e) *wine*
die Weintrauben (*pl.*) *grapes*
weiss *white*
weiss: ich weiss nicht *I don't know*
der Weisswein (-e) *white wine*
welche?, welcher?, welchen?, welches? *which?*
das Wellenbad (¨er) *swimming pool with artificial waves*
wenn *if*
werde: ich werde mal nachsehen *I'll just have a look*
das Werk (-e) *work*
der Western (-) *Western (film)*
das Wetter *weather*
wie? *how?;* wie ist Ihr Name? *what is your name?* wie schade! *what a pity!;* die gleichen Interessen wie Sie *the same interests as you*
wieder *again;* wann ist sie wohl wieder da? *when is she likely to be back?;* dann komme ich dann wieder *I'll come back then*
Wiederhören: Auf Wiederhören! *Goodbye! (on phone)*
Wiedersehen: Auf Wiedersehen! *Goodbye!*
wieviel? wieviele? *how much?, how many?;* um wieviel Uhr? *at what time?*
will: ich will . . . *I want to . . . ;* ich will es versuchen *I'll see what I can do*
wir *we*
wird: wenn es nicht besser wird *if it doesn't get better;* . . . wird das Gepäck hereinholen *. . . will bring in the luggage*
wissen *to know;* darf ich dann einmal Ihren Namen wissen? *may I have your name then please?*

wo? *where?*
die Woche (-n) *week*
wöchentlich *weekly*
wohin? *where to?*
wohl: wann ist sie wohl wieder da? *when is she likely to be back?*
Wohl: zum Wohl! *cheers!*
wollen *to want to;* wenn Sie noch einen Moment Platz nehmen wollen, bitte *if you'd like to take a seat for a moment please;*
wollen wir . . . ? *shall we . . . ?;* wollen Sie . . . ? *do you want to . . . ?*
der Wunsch (¨e) *wish*
wünschen *to wish*
würde: dann würde ich vorschlagen *then I'd suggest*
würden: würden Sie . . . ? *would you . . . ?*
das Würstchen (-) *sausage*

Y

der Yen (-) *yen (Japanese currency)*

Z

zahlen *to pay* Sie zahlen 6.67 DM für ein Pfund *the exchange rate is 6.67 DM to the pound*
der Zahnarzt (¨e) *dentist*
der Zehnmarkschein (-e) *10 mark note*
zeichnen *to sketch, draw*
zeigen *to show*
die Zeitung (en) *newspaper*
die Zelle (-n) *(telephone) booth*
zentral *central*
das Zentrum *centre*
zergehen *to dissolve*
das Zettelchen (-) *chit*
die Zigarre (-n) *cigar*
die Zigarette (-n) *cigarette*
der Zigeunerbaron *The Gypsy Baron (operetta by Johann Strauss)*
das Zimmer (-) *room*
der Zimmerausweis (-e) *hotel registration card*
das Zimmermädchen (-) *chambermaid*
die Zimmernummer (-) *room number*
der Zirkus (-se) *circus*
zu *to, at, too;* zu gross *too big;* wann ist es zu Ende? *what time does it finish?* ich möchte gern zu Herrn Doktor *I'd like to see the doctor*
der Zug (¨e) *train*
zum *to the;* zum Frühstück *for breakfast*
zur *to the*

zurück *back;* 4 DM zurück *4 marks change*

zusammen *together*

der Zwanzigmarkschein (-e) *20 mark note*

zweimal *twice, two of*

zweiten *second*

der Zusatz (˙e) *additive*